CW00428406

Gottfried Keller

Die drei gerechten Kammacher

Gottfried Keller: Die drei gerechten Kammacher

Entstanden 1855. Erstdruck: Braunschweig (Vieweg) 1856.

Vollständige Neuausgabe mit einer Biographie des Autors
Herausgegeben von Karl-Maria Guth
Berlin 2014

Der Text dieser Ausgabe folgt:
Gottfried Keller: Sämtliche Werke in acht Bänden, Berlin: Aufbau, 1958–1961.

Die Paginierung obiger Ausgabe wird hier als Marginalie zeilengenau mitgeführt.

Umschlaggestaltung von Thomas Schultz-Overhage unter Verwendung des Bildes: Lorenzo Lotto, Goldschmied von drei Seiten, um 1530

Gesetzt aus Minion Pro, 12 pt

Die Sammlung Hofenberg erscheint im
Verlag der Contumax GmbH & Co. KG, Berlin
Herstellung: BoD – Books on Demand, Norderstedt

Die Ausgaben der Sammlung Hofenberg basieren auf zuverlässigen Textgrundlagen. Die Seitenkonkordanz zu anerkannten Studienausgaben machen Hofenbergtexte auch in wissenschaftlichem Zusammenhang zitierfähig.

ISBN 978-3-8430-7140-6

Bibliografische Information der Deutschen Nationalbibliothek

Die Deutsche Nationalbibliothek verzeichnet diese Publikation in der Deutschen Nationalbibliografie; detaillierte bibliografische Daten sind im Internet über www.dnb.de abrufbar.

Die drei gerechten Kammacher

Die Leute von Seldwyla haben bewiesen, daß eine ganze Stadt von Ungerechten oder Leichtsinnigen zur Not fortbestehen kann im Wechsel der Zeiten und des Verkehrs; die drei Kammacher aber, daß nicht drei Gerechte lang unter einem Dache leben können, ohne sich in die Haare zu geraten. Es ist hier aber nicht die himmlische Gerechtigkeit gemeint oder die natürliche Gerechtigkeit des menschlichen Gewissens, sondern jene blutlose Gerechtigkeit, welche aus dem Vaterunser die Bitte gestrichen hat Und vergib uns unsere Schulden, wie auch wir vergeben unsern Schuldnern! weil sie keine Schulden macht und auch keine ausstehen hat; welche niemandem zu Leid lebt, aber auch niemandem zu Gefallen, wohl arbeiten und erwerben, aber nichts ausgeben will und an der Arbeitstreue nur einen Nutzen, aber keine Freude findet. Solche Gerechte werfen keine Laternen ein, aber sie zünden auch keine an, und kein Licht geht von ihnen aus; sie treiben allerlei Hantierung, und eine ist ihnen so gut wie die andere, wenn sie nur mit keiner Fährlichkeit verbunden ist; am liebsten siedeln sie sich dort an, wo recht viele Ungerechte in ihrem Sinne *sind;* denn sie untereinander, wenn keine solche zwischen ihnen wären, würden sich bald abreiben wie Mühlsteine, zwischen denen kein Korn liegt. Wenn diese ein Unglück betrifft, so sind sie höchst verwundert und jammern, als ob sie am Spieße stäken, da sie doch niemandem was zuleid getan haben; denn sie betrachten die Welt als eine große wohlgesicherte Polizeianstalt, wo keiner eine Kontraventionsbuße zu fürchten 199 braucht, wenn er vor seiner Türe fleißig kehrt, keine Blumentöpfe unverwahrt vor das Fenster stellt und kein Wasser aus demselben gießt.

Zu Seldwyl bestand ein Kammachergeschäft, dessen Inhaber gewohnterweise alle fünf bis sechs Jahre wechselten, obgleich es ein gutes Geschäft war, wenn es fleißig betrieben wurde; denn die Krämer, welche die umliegenden Jahrmärkte besuchten, holten da ihre Kammwaren. Außer den notwendigen Hornstriegeln aller Art wurden auch die wunderbarsten Schmuckkämme für die Dorfschönen und Dienstmägde verfertigt aus schönem durchsichtigem Ochsenhorn, in welches die Kunst der Gesellen (denn die Meister arbeiteten nie) ein tüchtiges braunrotes Schildpattgewölbe beizte, je nach ihrer Phantasie, so daß, wenn man die Kämme gegen das Licht hielt, man die herrlichsten Sonnenauf- und -niedergänge zu sehen glaubte, rote Schäfchenhimmel, Gewitterstürme und andere gesprenkelte Naturerscheinungen. Im Sommer, wenn die Gesellen gerne wanderten und rar waren, wurden sie mit Höflichkeit behandelt und bekamen guten Lohn und gutes Essen; im Winter aber, wenn sie ein Unterkommen suchten und häufig zu haben waren, mußten sie sich ducken, Kämme machen, was das Zeug halten wollte, für geringen Lohn; die Meisterin stellte einen Tag wie den andern eine Schüssel Sauerkraut auf den Tisch, und der Meister sagte »Das sind Fische!« Wenn dann ein Geselle zu sagen wagte »Bitt um Verzeihung, es ist Sauerkraut!« so bekam er auf der Stelle den Abschied und mußte wandern in den Winter hinaus. Sobald aber die Wiesen grün wurden und die Wege gangbar, sagten sie »Es ist doch Sauerkraut!« und schnürten ihr Bündel. Denn wenn dann auch die Meisterin auf der Stelle einen Schinken auf das Kraut warf und der Meister sagte »Meiner Seel, ich glaubte, es wären Fische! Nun, dieses ist doch gewiß ein Schinken!« so sehnten sie sich doch hinaus, da alle drei Gesellen in einem zweispännigen Bett schlafen mußten und sich den Winter durch herzlich satt bekamen wegen der Rippenstöße und erfrorenen Seiten. 200

Einsmals kam aber ein ordentlicher und sanfter Geselle angereist aus irgendeinem der sächsischen Lande, der fügte sich in alles, arbeitete wie ein Tierlein und war nicht zu vertreiben, so daß er zuletzt ein bleibender Hausrat wurde in dem Geschäft und mehrmals den Meister wechseln sah, da es die Jahre her gerade etwas stürmischer herging als sonst. Jobst streckte sich in dem Bette, so steif er konnte, und behauptete seinen Platz zunächst der Wand Winter und Sommer; er nahm das Sauerkraut willig für Fische und im Frühjahr mit bescheidenem Dank ein Stückchen von dem Schinken. Den kleinern Lohn legte er so gut zur Seite wie den größern; denn er gab nichts aus, sondern sparte sich alles auf. Er lebte nicht wie andere Handwerksgesellen, trank nie einen Schoppen, verkehrte mit keinem Landsmann noch mit andern jungen Gesellen, sondern stellte sich des Abends unter die Haustüre und schäkerte mit den alten Weibern, hob ihnen die Wassereimer auf den Kopf, wenn er besonders freigebiger Laune war, und ging mit den Hühnern zu Bett, wenn nicht reichliche Arbeit da war, daß er für besondere Rechnung die Nacht durcharbeiten konnte. Am Sonntag arbeitete er ebenfalls bis in den Nachmittag hinein, und wenn es das herrlichste Wetter war; man denke aber nicht, daß er dies mit Frohsinn und Vergnügen tat, wie Johann, der muntere Seifensieder; vielmehr war er bei dieser freiwilligen Mühe niedergeschlagen und beklagte sich fortwährend über die Mühseligkeit des Lebens. War dann der Sonntagnachmittag gekommen, so ging er in seinem Arbeitsschurz und in den klappernden Pantoffeln über die Gasse und holte sich bei der Wäscherin das frische Hemd und das geglättete Vorhemdchen, den Vatermörder oder das bessere Schnupftuch und trug diese Herrlichkeiten auf der flachen Hand mit elegantem Gesellenschritt vor sich her nach Hause. Denn im Arbeitsschurz und in den Schlappschuhen beobachten manche Gesellen immer einen eigentümlich gezierten Gang, als ob sie in höherer Sphären schwebten, besonders die gebildeten Buchbinder, die lustigen Schuhmacher und die seltnen sonderbaren Kammacher. In seiner Kammer bedachte sich Jobst aber noch wohl, ob er das Hemd oder das Vorhemdchen auch wirklich anziehen wolle, denn er war bei aller Sanftmut und Gerechtigkeit ein kleiner Schweinigel, oder ob es die alte Wäsche noch für eine Woche tun müsse und er bei Hause bleiben und noch ein bißchen arbeiten wolle. In diesem Falle setzte er sich mit einem Seufzer über die Schwierigkeit und Mühsal der Welt von neuem dahinter und schnitt verdrossen seine Zähne in die Kämme, oder er wandelte das Horn in Schildkrötschalen um, wobei er aber so nüchtern und phantasielos verfuhr, daß er immer die gleichen drei trostlosen Kleckse darauf schmierte; denn wenn es nicht unzweifelhaft vorgeschrieben war, so wandte er nicht die kleinste Mühe an eine Sache. Entschloß er sich aber zu einem Spaziergang, so putzte er sich eine oder zwei Stunden lang peinlich heraus, nahm sein Spazierstöckchen und wandelte steif ein wenig vors Tor, wo er demütig und langweilig herumstand und langweilige Gespräche führte mit andern Herumständern, die auch nichts Besseres zu tun wußten, etwa alte arme Seldwyler, welche nicht mehr ins Wirtshaus gehen konnten. Mit solchen stellte er sich dann gern vor ein im Bau begriffenes Haus, vor ein Saatfeld, vor einen wetterbeschädigten Apfelbaum oder vor eine neue Zwirnfabrik und düftelte auf das angelegentlichste über diese Dinge, deren Zweckmäßigkeit und den Kostenpunkt, über die Jahrshoffnungen und den Stand der Feldfrüchte, von was allem er nicht den Teufel verstand. Es war ihm auch nicht darum zu tun; aber die Zeit verging ihm so auf die billigste und kurzweiligste Weise nach seiner Art, und die alten Leute nannten ihn mehr den artigen und vernünftigen Sachsen, denn sie verstanden auch nichts. Als die Seldwyler eine große Aktienbrauerei anlegten, von der sie sich ein gewaltiges leben versprachen, und die weitläufigen Fundamente aus dem Boden ragten, stöckerte er manchen Sonntagabend darin herum, mit Kennerblicken und mit dem scheinbar lebendigsten Interesse die Fortschritte des Baues untersuchend, wie wenn er ein alter Bauver- 202 ständiger und der größte Biertrinker wäre. »Aber nein!« rief er ein Mal um das andere, »des is ein fameses Wergg! des gibt eine großartigte Anstalt! Aber Geld kosten duht's, na das Geld! Aber schade, hier mußte mir des Gewehlbe doch en bißgen diefer sein und die Mauer um eine Idee stärger!« Bei alledem dachte er sich gar nichts, als daß er noch rechtzeitig zum Abendessen wolle, eh es dunkel werde; denn dieses war der einzige Tort, den er seiner Frau Meisterin antat, daß er nie das Abendbrot versäumte am Sonntag, wie etwa die anderen Gesellen, sondern daß sie seinetwegen allein zu Hause bleiben oder sonstwie Bedacht auf ihn nehmen mußte. Hatte er sein Stückchen Braten oder Wurst versorgt, so wurmisierte er noch ein Weilchen in der Kammer herum und ging dann zu Bett; dies war dann ein vergnügter Sonntag für ihn gewesen.

Bei all diesem anspruchlosen, sanften und ehrbaren Wesen ging ihm aber nicht ein leiser Zug von innerlicher Ironie ab, wie wenn er sich heimlich über die Leichtsinnigkeit und Eitelkeit der Welt lustig machte, und er schien die Größe und Erheblichkeit der Dinge nicht undeutlich zu bezweifeln und sich eines viel tieferen Gedankenplanes bewußt zu sein. In der Tat machte er auch zuweilen ein so kluges Gesicht, besonders wenn er die sachverständigen sonntäglichen Reden führte, daß man ihm wohl ansah, wie er heimlich viel wichtigere Dinge im Sinne trage, wogegen alles, was andere unternahmen, bauten und aufrichteten, nur ein Kinderspiel wäre. Der große Plan, welchen er Tag und Nacht mit sich herumtrug und welcher sein stiller Leitstern war die ganzen Jahre lang, während er in Seldwyl Geselle war, bestand darin, sich so lange seinen Arbeitslohn aufzusparen, bis er hinreiche, eines schönen Morgens das Geschäft, wenn es gerade vakant würde, anzukaufen und ihn selbst zum Inhaber und Meister zu machen. Dies lag all seinem Tun und Trachten zugrunde, da er wohl bemerkt hatte, wie ein fleißiger und sparsamer Mann allhier wohl gedeihen müßte, ein Mann, welcher [203] seinen eigenen stillen Weg ginge und von der Sorglosigkeit der andern nur den Nutzen, aber nicht die Nachteile zu ziehen wüßte. Wenn er aber erst Meister wäre, dann wollte er bald soviel erworben haben, um sich auch einzubürgern, und dann erst gedachte er so klug und zweckmäßig zu leben wie noch nie ein Bürger in Seldwyl, sich um gar nichts zu kümmern, was nicht seinen Wohlstand mehre, nicht einen Deut auszugeben, aber deren so viele als möglich an sich zu ziehen in dem leichtsinnigen Strudel dieser Stadt. Dieser Plan war ebenso einfach als richtig und begreiflich, besonders da er ihn auch ganz gut und ausdauernd durchführte; denn er hatte schon ein hübsches Sümmchen zurückgelegt, welches er sorgfältig verwahrte und sicherer Berechnung nach mit der Zeit groß genug werden mußte zur Erreichung dieses Zieles. Aber das Unmenschliche an diesem so stillen und friedfertigen Plane war nur, daß Jobst ihn überhaupt gefaßt hatte; denn nichts in seinem Herzen zwang ihn, gerade in Seldwyla zu bleiben, weder eine Vorliebe für die Gegend noch für die Leute, weder für die politische Verfassung dieses Landes noch für seine Sitten. Dies alles war ihm so gleichgültig wie seine eigene Heimat, nach welcher er sich gar nicht zurücksehnte; an hundert Orten in der Welt konnte er sich mit seinem Fleiß und mit seiner Gerechtigkeit ebensowohl festhalten wie hier; aber er hatte keine freie Wahl und ergriff in seinem öden Sinne die erste zufällige Hoffnungsfaser, die sich ihm bot, um sich daran zu hängen und sich daran großzusaugen. Wo es mir wohl geht, da ist mein Vaterland! heißt es sonst, und dieses Sprichwort soll unangetastet bleiben für diejenigen, welche auch wirklich eine bessere und notwendige Ursache ihres Wohlergehens im neuen Vaterlande aufzuweisen haben, welche in freiem Entschlusse in die Welt hinausgegangen, um sich rüstig einen Vorteil zu erringen und als geborgene Leute zurückzukehren, oder welche einem unwohnlichen Zustande in Scharen entfliehen und, dem Zuge der Zeit gehorchend, die neue Völkerwanderung über die Meere mitwandern; oder welche irgendwo treuere Freunde gefunden haben als daheim oder ihren eigensten Neigungen mehr entsprechende Verhältnisse oder durch irgendein schöneres menschliches Band festgebunden wurden. Aber auch das neue Land ihres Wohlergehens werden alle diese wenigstens lieben müssen, wo sie immerhin sind, und auch da zur Not einen Menschen vorstellen. Aber Jobst wußte kaum, wo er war; die Einrichtungen und Gebräuche der Schweizer waren ihm unverständlich, und er sagte bloß zuweilen: »Ja, ja, die Schweizer sind politische Leute! Es ist gewißlich, wie ich glaube, eine schöne Sache um die Politik, wenn man Liebhaber davon ist! Ich für meinen Teil bin kein Kenner davon, wo ich zu Haus bin, da ist es nicht der Brauch gewesen.« Die Sitten der Seldwyler waren ihm zuwider und machten ihn ängstlich, und wenn sie einen Tumult oder Zug vorhatten, hockte er zitternd zuhinterst in der Werkstatt und fürchtete Mord und Totschlag. Und dennoch war es sein einziges Denken und sein großes Geheimnis, hier zu bleiben bis an das Ende seiner Tage. Auf alle Punkte der Erde sind solche Gerechte hingestreut, die aus keinem andern Grunde sich dahin verkrümmelten, als weil sie zufällig an ein Saugeröhrchen des guten Auskommens gerieten, und sie saugen still daran ohne Heimweh nach dem alten, ohne Liebe zu dem neuen Lande, ohne einen Blick in die Weite und ohne einen für die Nähe, und gleichen daher weniger dem freien Menschen als jenen niederen Organismen, wunderlichen Tierchen und Pflanzen-

204

samen, die durch Luft und Wasser an die zufällige Stätte ihres Gedeihens getragen worden.

So lebte er ein Jährchen um das andere in Seldwyla und äufnete seinen heimlichen Schatz, welchen er unter einer Fliese seines Kammerbodens vergraben hielt. Noch konnte sich kein Schneider rühmen, einen Batzen an ihm verdient zu haben, denn noch war der Sonntagsrock, mit dem er angereist, im gleichen Zustande wie damals. Noch hatte kein Schuster einen Pfennig von ihm gelöst, denn noch waren nicht einmal die Stiefelsohlen durchgelaufen, die bei seiner Ankunft das Äußere seines Felleisens geziert; denn das Jahr hat nur zweiundfünfzig Sonntage, und von diesen wurde nur die Hälfte zu einem kleiner Spaziergange verwandt. Niemand konnte sich rühmen, je ein kleines oder großes Stück Geld in seiner Hand gesehen zu haben; denn wenn er seinen Lohn empfing, verschwand diesen auf der Stelle auf die geheimnisvollste Weise, und selbst wenn er vor das Tor ging, steckte er nicht einen Deut zu sich, so daß es ihm gar nicht möglich war, etwas auszugeben. Wenn Weibe, mit Kirschen, Pflaumen oder Birnen in die Werkstatt kamen und die anderen Arbeiter ihre Gelüste befriedigten, hatte er auch tausend und ein Gelüste, welche er dadurch zu beruhigen wußte, daß er mit der größten Aufmerksamkeit die Verhandlung mit führte, die hübschen Kirschen und Pflaumen streichelte und betastete und zuletzt die Weiber, welche ihn für den eifrigsten Käufer genommen, verblüfft abziehen ließ, sich seinen Enthaltsamkeit freuend; und mit zufriedenem Vergnügen, mit tausend kleinen Ratschlägen, wie sie die gekauften Äpfel braten oder schälen sollten, sah er seine Mitgesellen essen. Aber so wenig jemand eine Münze von ihm zu besehen kriegte, eben sowenig erhielt jemand von ihm je ein barsches Wort, eine unbillige Zumutung oder ein schiefes Gesicht; er wich vielmehr allen Händeln auf das sorgfältigste aus und nahm keinen Scherz übel, den man sich mit ihm erlaubte; und so neugierig er war den Verlauf von allerlei Klatschereien und Streitigkeiten zu betrachten und zu beurteilen, da solche jederzeit einen kosten freien Zeitvertreib gewährten, während andere Gesellen ihrer rohen Gelagen nachgingen, so hütete er sich wohl, sich in etwas zu mischen oder über einer Unvorsichtigkeit betreffen zu lassen. Kurz, er war die merkwürdigste Mischung von wahrhaft heroischer Weisheit und Ausdauer und von sanfter schnöder Herz und Gefühllosigkeit.

Einst war er schon seit vielen Wochen der einzige Geselle in dem Geschäft, und es ging ihm so wohl in dieser Ungestörtheit wie einem Fisch im Wasser. Besonders des Nachts freute er sich des breiten 206 Raumes im Bette und benutzte sehr ökonomisch diese schöne Zeit, sich für die kommenden Tage zu entschädigen und seine Person gleichsam zu verdreifachen, indem er unaufhörlich die Lage wechselte und sich vorstellte, als ob drei zumal im Bette lägen, von denen zwei den Dritten ersuchten, sich doch nicht zu genieren und es sich bequem zu machen. Dieser Dritte war er selbst, und er wickelte sich auf die Einladung hin wollüstig in die ganze Decke oder spreizte die Beine weit auseinander, legte sich quer über das Bett oder schlug in harmloser Lust Purzelbäume darin. Eines Tages aber, als er beim Abendscheine schon im Bette lag, kam unverhofft noch ein fremder Geselle zugesprochen und wurde von der Meisterin in die Schlafkammer gewiesen. Jobst lag eben in wähligem Behagen mit dem Kopfe am Fußende und mit den Füßen auf den Pfülmen, als der Fremde eintrat, sein schweres Felleisen abstellte und unverweilt anfing sich auszuziehen, da er müde war. Jobst schnellte blitzschnell herum und streckte sich steif an seinen ursprünglichen Platz an der Wand, und er dachte: Der wird bald wieder ausreißen, da es Sommer ist und lieblich zu wandern! In dieser Hoffnung ergab er sich mit stillen Seufzern in sein Schicksal und war der nächtlichen Rippenstöße und des Streites um die Decke gewärtig, die es nun absetzen würde. Aber wie erstaunt war er, als der Neuangekommene, obgleich es ein Bayer war, sich mit höflichem Gruße zu ihm ins Bett legte, sich ebenso friedlich und manierlich wie er selbst am andern Ende des Bettes verhielt und ihn während der ganzen Nacht nicht im mindesten belästigte. Dies unerhörte Abenteuer brachte ihn so um alle Ruhe, daß er, während der Bayer wohlgemut schlief, diese Nacht kein Auge zutat. Am Morgen betrachtete er den wundersamen Schlafgefährten mit äußerst aufmerksamen Mienen und sah, daß es ein ebenfalls nicht mehr junger Geselle war, der sich mit anständigen Worten nach den Umständen und dem Leben hier erkundigte, ganz in der Weise, wie er es etwa selbst getan haben würde. Sobald er dies nur bemerkte, hielt er an sich und verschwieg die einfachsten Dinge wie ein großes Geheimnis, trachtete aber dagegen das Geheimnis des Bayers zu ergründen; denn daß derselbe ebenfalls eines besaß, war ihm von weitem anzusehen; wozu sollte er sonst ein so verständiger, sanftmütiger und gewiegter Mensch sein, wenn er nicht irgend etwas Heimliches, sehr Vorteilhaftes vorhatte? Nun suchten sie sich gegenseitig die Würmer aus der Nase zu ziehen, mit der größten Vorsicht und Friedfertigkeit, in halben Worten und auf anmutigen Umwegen. Keiner gab eine vernünftige klare Antwort, und doch wußte nach Verlauf einiger Stunden jeder, daß der andere nichts mehr oder minder als sein vollkommener Doppelgänger sei. Als im Lauf des Tages Fridolin der Bayer mehrmals nach der Kammer lief und sich dort zu schaffen machte, nahm Jobst die Gelegenheit wahr, auch einmal hinzuschleichen, als jener bei der Arbeit saß, und durchmusterte im Fluge die Habseligkeiten Fridolins; er entdeckte aber nichts weiter als fast die gleichen Siebensächelchen, die er selbst besaß, bis auf die hölzerne Nadelbüchse, welche aber hier einen Fisch vorstellte, während Jobst scherzhafterweise ein kleines Wickelkindchen besaß, und statt einer zerrissenen französischen Sprachlehre für das Volk, welche Jobst bisweilen durchblätterte, war bei dem Bayer ein gut gebundenes Büchlein zu finden, betitelt »Die kalte und warme Küpe, ein unentbehrliches Handbuch für Blaufärber.« Darin war aber mit Bleistift geschrieben »Unterfand für die 3 Kreizer, welche ich dem Nassauer geborgt.« Hieraus schloß er, daß es ein Mann war, der das Seinige zusammenhielt, und spähete unwillkürlich am Boden herum, und bald entdeckte er eine Fliese, die ihm gerade so vorkam, als ob sie kürzlich herausgenommen wäre, und unter derselben lag auch richtig ein Schatz in ein altes halbes Schnupftuch und mit Zwirn umwickelt, fast ganz so schwer wie der seinige, welcher zum Unterschied in einem zugebundenen Socken steckte. Zitternd drückte er die Backsteinplatte wieder zurecht, zitternd aus Aufregung und

Bewunderung der fremden Größe und aus tiefer Sorge um sein Geheimnis. Stracks lief er hinunter in die Werkstatt und arbeitete, als ob es gälte, die Welt mit Kämmen zu versehen, und der Bayer arbeitete, als ob der Himmel noch dazu gekämmt werden müßte. Die nächsten acht Tage bestätigten durchaus diese erste gegenseitige Auffassung; denn war Jobst fleißig und genügsam, so war Fridolin tätig und enthaltsam mit den gleichen bedenklichen Seufzern über das Schwierige solcher Tugend; war aber Jobst heiter und weise, so zeigte sich Fridolin spaßhaft und klug; war jener bescheiden, so war dieser demütig, jener schlau und ironisch, dieser durchtrieben und beinahe satirisch, und machte Jobst ein friedlich einfältiges Gesicht zu einer Sache, die ihn ängstigte, so sah Fridolin unübertrefflich wie ein Esel aus. Es war nicht sowohl ein Wettkampf als die Übung wohlbewußter Meisterschaft, die sie beseelte, wobei keiner verschmähte, sich den andern zum Vorbild zu nehmen und ihm die feinsten Züge eines vollkommenen Lebenswandels, die ihm etwa noch fehlten, nachzuahmen. Sie sahen sogar so einträchtig und verständnisinnig aus, daß sie eine gemeinsame Sache zu machen schienen, und glichen so zwei tüchtigen Helden, die sich ritterlich vertragen und gegenseitig stählen, ehe sie sich befehden. Aber nach kaum acht Tagen kam abermals einer zugereist, ein Schwabe namens Dietrich, worüber die beiden eine stillschweigende Freude empfanden wie über einen lustigen Maßstab, an welchem ihre stille Größe sich messen konnte, und sie gedachten das arme Schwäbchen, welches gewiß ein rechter Taugenichts war, in die Mitte zwischen ihre Tugenden zu nehmen, wie zwei Löwen ein Äffchen, mit dem sie spielen. 208

Aber wer beschreibt ihr Erstaunen, als der Schwabe sich gerade so benahm wie sie selbst und sich die Erkennung, die zwischen ihnen vorgegangen, noch einmal wiederholte zu dritt, wodurch sie nicht nur dem Dritten gegenüber in eine unverhoffte Stellung gerieten, sondern sie selbst unter sich in eine ganz veränderte Lage kamen. 209

Schon als sie ihn im Bette zwischen sich nahmen, zeigte sich der Schwabe als vollkommen ebenbürtig und lag wie ein Schwefelholz so strack und ruhig, so daß immer noch ein bißchen Raum zwischen jedem der Gesellen blieb und das Deckbett auf ihnen lag wie ein Papier auf drei Heringen. Die Lage wurde nun ernster, und indem alle drei gleichmäßig sich gegenüberstanden, wie die Winkel eines gleichseitigen Dreieckes, und kein vertrauliches Verhältnis mehr zwischen zweien möglich war, kein Waffenstillstand oder anmutiger Wettstreit, waren sie allen Ernstes beflissen, einander aus dem Bett und dem Haus hinauszudulden. Als der Meister sah, daß diese drei Käuze sich alles gefallen ließen, um nur dazubleiben, brach er ihnen am Lohn ab und gab ihnen geringere Kost; aber desto fleißiger arbeiteten sie und setzten ihn in den Stand, große Vorräte von billigen Waren in Umlauf zu bringen und vermehrten Bestellungen zu genügen, also daß er ein Heidengeld durch die stillen Gesellen verdiente und eine wahre Goldgrube an ihnen besaß. Er schnallte sich den Gurt um einige Löcher weiter und spielte eine große Rolle in der Stadt, während die törichten Arbeiter in der dunklen Werkstatt Tag und Nacht sich abmühten und sich gegenseitig hinausarbeiten wollten. Dietrich der Schwabe, welcher der jüngste war, erwies sich als ganz vom gleichen Holze geschnitten wie die zwei andern, nur besaß er noch keine Ersparnis, denn er war noch zuwenig gereist. Dies wäre ein bedenklicher Umstand für ihn gewesen, da Jobst und Fridolin einen zu großen Vorsprung gewannen, wenn er nicht als ein erfindungsreiches Schwäblein eine neue Zaubermacht heraufbeschworen hätte, um den Vorteil der andern aufzuwiegen. Da sein Gemüt nämlich von jeglicher Leidenschaft frei war, so frei wie dasjenige seiner Nebengesellen, außer von der Leidenschaft, gerade hier und nirgends anders sich anzusiedeln und den Vorteil wahrzunehmen, so erfand er den Gedanken, sich zu verlieben und um die Hand einer Person zu werben, welche ungefähr so viel besaß, als der Sachse und der Bayer unter den Fliesen liegen hatten. Es gehörte zu den besseren Eigentümlichkeiten der Seldwyler, daß sie um einiger Mittel willen keine häßlichen oder unliebenswürdigen Frauen nahmen; in große Versuchung gerieten sie ohnehin nicht, da es in ihrer Stadt keine reichen Erbinnen gab, weder schöne noch unschöne, und so behaupteten sie wenigstens die Tapferkeit, auch die kleineren Brocken zu verschmähen und sich lieber mit lustigen und hübschen Wesen zu verbinden, mit welchen sie einige Jahre Staat machen konnten. Daher wurde es dem ausspähenden Schwaben nicht schwer, sich den Weg zu einer tugendhaften Jungfrau zu bahnen, welche in derselben Straße wohnte und von der er, im klugen Gespräche mit alten Weibern, in Erfahrung gebracht, daß sie einen Gültbrief von siebenhundert Gulden ihr Eigentum nenne. Dies war Züs Bünzlin, eine Tochter von achtundzwanzig Jahren, welche mit ihrer Mutter, der Wäscherin, zusammen lebte, aber über jenes väterliche Erbteil unbeschränkt herrschte. Sie hatte den Brief in einer kleinen lackierten Lade liegen, wo sie auch die Zinsen davon, ihren Taufzettel, ihren Konfirmationsschein und ein bemaltes und vergoldetes Osterei bewahrte; ferner ein halbes Dutzend silberne Teelöffel, ein Vaterunser mit Gold auf einen roten durchsichtigen Glasstoff gedruckt, den sie Menschenhaut nannte, einen Kirschkern, in welchen das Leiden Christi geschnitten war, und eine Büchse aus durchbrochenem und mit rotem Taft unterlegten Elfenbein, in welcher ein Spiegelchen war und ein silberner Fingerhut; ferner war darin ein anderer Kirschkern, in welchem ein winziges Kegelspiel klapperte, eine Nuß, worin eine kleine Muttergottes hinter Glas lag, wenn man sie öffnete, ein silbernes Herz, worin ein Riechschwämmchen steckte, und eine Bonbonbüchse aus Zitronenschale, auf deren Deckel eine Erdbeere gemalt war und in welcher eine goldene Stecknadel auf Baumwolle lag, die ein Vergißmeinnicht vorstellte, und ein Medaillon mit einem Monument von Haaren; ferner ein Bündel vergilbter Papiere mit Rezepten und Geheimnissen, ein Fläschchen mit Hoffmannstropfen, ein anderes mit Kölnischem Wasser und eine Büchse mit Moschus; eine andere, worin ein Endchen Marderdreck lag, und ein Körbchen, aus wohlriechenden Halmen geflochten, sowie eines aus Glasperlen und Gewürznägelein zusammengesetzt; endlich ein kleines Buch, in himmelblaues geripptes Papier gebunden, mit silbernem Schnitt, betitelt »Goldene Lebensregeln für die Jungfrau als Braut, Gattin und Mutter«; und ein Traumbüchlein, ein Briefsteller, fünf oder sechs Liebesbriefe und ein Schnepper zum Aderlassen; denn einst hatte sie ein Verhältnis mit einem Barbiergesellen oder Chirurgiegehilfen gepflogen, welchen sie zu ehelichen gedachte; und da sie eine geschickte und überaus verständige Person war, so hatte sie von ihrem Liebhaber gelernt, die Ader zu schlagen, Blutigel und Schröpfköpfe anzusetzen und dergleichen mehr, und konnte ihn selbst sogar schon rasieren. Allein er hatte sich als ein unwürdiger Mensch gezeigt, bei welchem leichtlich ihr ganzes Lebensglück aufs Spiel gesetzt war, und so hatte sie mit trauriger, aber weiser Entschlossenheit das Verhältnis gelöst. Die Geschenke wurden von beiden Seiten zurückgegeben mit Ausnahme des Schneppers; diesen vorenthielt sie als ein Unterpfand für einen Gulden und achtundvierzig Kreuzer, welche sie ihm einst bar geliehen; der Unwürdige behauptete aber, solche nicht schuldig zu sein, da sie das Geld ihm bei Gelegenheit eines Balles in die Hand gegeben, um die Auslagen zu bestreiten, und sie hätte zweimal soviel verzehrt als er. So behielt er den Gulden und die achtundvierzig Kreuzer und sie den Schnepper, mit welchem sie unter der Hand allen Frauen ihrer Bekanntschaft Ader ließ und manchen schönen Batzen verdiente. Aber jedesmal, wenn sie das Instrument gebrauchte, mußte sie mit Schmerzen der niedrigen Gesinnungsart dessen gedenken, der ihr so nahegestanden und beinahe ihr Gemahl geworden wäre!

Dies alles war in der lackierten Lade enthalten, wohlverschlossen, 212 und diese war wiederum in einem alten Nußbaumschrank aufgehoben, dessen Schlüssel die Züs Bünzlin allfort in der Tasche trug. Die Person selbst hatte dünne rötliche Haare und wasserblaue Augen, welche nicht ohne Reiz waren und zuweilen sanft und weise zu blicken wußten; sie besaß eine große Menge Kleider, von denen sie nur wenige und stets die ältesten trug, aber immer war sie sorgsam und reinlich angezogen, und ebenso sauber und aufgeräumt sah es in der Stube aus. Sie war sehr fleißig und half ihrer Mutter bei ihrer Wäscherei, indem sie die feineren Sachen plättete und die Hauben und Manschetten der Seldwylerinnen wusch, womit sie einen schönen Pfennig gewann; von dieser Tätigkeit mochte es auch kommen, daß sie allwöchentlich die Tage hindurch, wo gewaschen wurde, jene strenge und gemessene Stimmung innehielt, welche die

Weiber immer während einer Wäsche befällt, und daß diese Stimmung sich in ihr festsetzte ein für allemal an diesen Tagen; erst wenn das Glätten anging, griff eine größere Heiterkeit Platz, welche bei Züsi aber jederzeit mit Weisheit gewürzt war. Den gemessenen Geist beurkundete auch die Hauptzierde der Wohnung, ein Kranz von viereckigen, genau abgezirkelten Seifenstücken, welche rings auf das Gesimse des Tannengetäfels gelegt waren zum Hartwerden, behufs besserer Nutznießung. Diese Stücke zirkelte ab und schnitt aus den frischen Tafeln mittelst eines Messingdrahtes jederzeit Züs selbst. Der Draht hatte zwei Querhölzchen an den Enden zum bequemen Anfassen und Durchschneiden der weichen Seife; einen schönen Zirkel aber zum Einteilen hatte ihr ein Zeugschmiedgesell verfertigt und geschenkt, mit welchem sie einst so gut wie versprochen war. Von demselben rührte auch ein blanker kleiner Gewürzmörser her, welcher das Gesimse ihres Schrankes zierte zwischen der blauen Teekanne und dem bemalten Blumenglas; schon lange war ein solches artiges Mörserchen ihr Wunsch gewesen, und der aufmerksame Zeugschmied kam daher wie gerufen, als er an ihrem Namenstage damit erschien und auch was zum Stoßen mitbrachte: eine Schachtel voll Zimmet, Zucker, Nägelein und Pfeffer. Den Mörser hing er dazumal vor der Stubentüre, ehe er eintrat, mit dem einen Henkel an den kleinen Finger und hob mit dem Stößel ein schönes Geläute an, wie mit einer Glocke, so daß es ein fröhlicher Morgen ward. Aber kurz darauf entfloh der falsche Mensch aus der Gegend und ließ nie wieder von sich hören. Sein Meister verlangte obenein noch den Mörser zurück, da der Entflohene ihn seinem Laden entnommen, aber nicht bezahlt habe. Aber Züs Bünzlin gab das werte Andenken nicht heraus, sondern führte einen tapfern und heftigen kleinen Prozeß darum, den sie selbst vor Gericht verteidigte auf Grundlage einer Rechnung für gewaschene Vorhemden des Entwichenen. Dies waren, als sie den Streit um den Mörser führen mußte, die bedeutsamsten und schmerzhaftesten Tage ihres Lebens, da sie mit ihrem tiefen Verstande die Dinge und besonders das Erscheinen vor Gericht um solch zarter Sache willen viel lebendiger begriff und empfand als andere leichtere Leute. Doch erstritt sie

213

den Sieg und behielt den Mörser.

Wenn aber die zierliche Seifengalerie ihre Werktätigkeit und ihren exakten Sinn verkündete, so pries nicht minder ihren erbaulichen und geschulten Geist ein Häufchen unterschiedlicher Bücher, welches am Fenster ordentlich aufgeschichtet lag und in denen sie des Sonntags fleißig las. Sie besaß noch alle ihre Schulbücher seit vielen Jahren her und hatte auch nicht eines verloren, so wie sie auch noch die ganze kleine Gelehrsamkeit im Gedächtnis trug, und sie wußte noch den Katechismus auswendig wie das Deklinierbuch, das Rechenbuch wie das Geographiebuch, die biblische Geschichte und die weltlichen Lesebücher; auch besaß sie einige der hübschen Geschichten von Christoph Schmid und dessen kleine Erzählungen mit den artigen Spruchversen am Ende, wenigstens ein halbes Dutzend verschiedene Schatzkästlein und Rosengärten zum Aufschlagen, eine Sammlung Kalender voll bewährter mannigfacher Erfahrung und Weisheit, einige merkwürdige Prophezeiungen, eine Anleitung zum Kartenschlagen, ein Erbauungsbuch auf alle Tage des Jahres für denkende Jungfrauen und ein altes Exemplar von Schillers Räubern, welches sie so oft las, als sie glaubte es genugsam vergessen zu haben, und jedesmal wurde sie von neuem gerührt, hielt aber sehr verständige und sichtende Reden darüber. Alles, was in diesen Büchern stand, hatte sie auch im Kopfe und wußte auf das schönste darüber und über noch viel mehr zu sprechen. Wenn sie zufrieden und nicht zu sehr beschäftigt war, so ertönten unaufhörliche Reden aus ihrem Munde, und alle Dinge wußte sie heimzuweisen und zu beurteilen, und jung und alt, hoch und niedrig, gelehrt und ungelehrt mußte von ihr lernen und sich ihrem Urteile unterziehen, wenn sie lächelnd oder sinnig erst ein Weilchen aufgemerkt hatte, worum es sich handle; sie sprach zuweilen so viel und so salbungsvoll wie eine gelehrte Blinde, die nichts von der Welt sieht und deren einziger Genuß ist, sich selbst reden zu hören. Von der Stadtschule her und aus dem Konfirmationsunterrichte hatte sie die Übung ununterbrochen beibehalten, Aufsätze und geistliche Memorierungen und allerhand spruchweise Schemata zu schreiben, und so verfertigte sie zuweilen an stillen Sonntagen die wunderbar-

214

sten Aufsätze, indem sie an irgendeinen wohlklingenden Titel, den sie gehört oder gelesen, die sonderbarsten und unsinnigsten Sätze anreihte, ganze Bogen voll, wie sie ihrem seltsamen Gehirn entsprangen, wie z.B. über das Nutzbringende eines Krankenbettes, über den Tod, über die Heilsamkeit des Entsagens, über die Größe der sichtbaren Welt und das Geheimnisvolle der unsichtbaren, über das Landleben und dessen Freuden, über die Natur, über die Träume, über die Liebe, einiges über das Erlösungswerk Christi, drei Punkte über die Selbstgerechtigkeit, Gedanken über die Unsterblichkeit. Sie las ihren Freunden und Anbetern diese Arbeiten laut vor, und wem sie recht wohlwollte, dem schenkte sie einen oder zwei solcher Aufsätze und der mußte sie in die Bibel legen, wenn er eine hatte. Diese ihre geistige Seite hatte ihr einst die tiefe und aufrichtige Neigung eines jungen Buchbindergesellen zugezogen, welcher alle Bücher las, die er einband, und ein strebsamer, gefühlvoller und unerfahrener Mensch war. Wenn er sein Waschbündel zu Züsis Mutter brachte, dünkte er im Himmel zu sein, so wohl gefiel es ihm, solche herrliche Reden zu hören, die er sich, selbst schon so oft idealis gedacht, aber nicht auszustoßen getraut hatte. Schüchtern und ehrerbietig näherte er sich der abwechselnd strengen und beredten Jungfrau, und sie gewährte ihm ihren Umgang und band ihn an sich während eines Jahres, aber nicht ohne ihn ganz in den Schranken klarer Hoffnungslosigkeit zu halten, die sie mit sanfter, aber unerbittlicher Hand vorzeichnete. Denn da er neun Jahre jünger war als sie, arm wie eine Maus und ungeschickt zum Erwerb, der für einen Buchbinder in Seldwyla ohnehin nicht erheblich war, weil die Leute da nicht lasen und wenig Bücher binden ließen, so verbarg sie sich keinen Augenblick die Unmöglichkeit einer Vereinigung und suchte nur seinen Geist auf alle Weise an ihrer eigenen Entsagungsfähigkeit heranzubilden und in einer Wolke von buntscheckigen Phrasen einzubalsamieren. Er hörte ihr andächtig zu und wagte zuweilen selbst einen schönen Ausspruch, den sie ihm aber, kaum geboren, totmachte mit einem noch schönern; dies war das geistigste und edelste ihrer Jahre, durch keinen gröbern Hauch getrübt, und der junge Mensch band ihr während desselben alle ihre Bücher neu

215

ein und bauete überdies während vieler Nächte und vieler Feiertage ein kunstreiches und kostbares Denkmal seiner Verehrung. Es war ein großer chinesischer Tempel aus Papparbeit mit unzähligen Behältern und geheimen Fächern, den man in vielen Stücken auseinandernehmen konnte. Mit den feinsten farbigen und gepreßten Papieren war er beklebt und überall mit Goldbörsen geziert. Spiegelwände und Säulen wechselten ab, und hob man ein Stück ab oder öffnete ein Gelaß, so erblickte man neue Spiegel und verborgene Bilderchen, Blumenbouquets und liebende Pärchen; an den 216 ausgeschweiften Spitzen der Dächer hingen allwärts kleine Glöcklein. Auch ein Uhrgehäuse für eine Damenuhr war angebracht mit schönen Häkchen an den Säulen, um die goldene Kette daran zu henken und an dem Gebäude hin und her zu schlängeln; aber bis jetzt hatte sich noch kein Uhrenmacher genähert, welcher eine Uhr, und kein Goldschmied, welcher eine Kette auf diesen Altar gelegt hätte. Eine unendliche Mühe und Kunstfertigkeit war an diesem sinnreichen Tempel verschwendet und der geometrische Plan nicht minder mühevoll als die saubere genaue Arbeit. Als das Denkmal eines schön verlebten Jahrs fertig war, ermunterte Züs Bünzlin den guten Buchbinder, mit Bezwingung ihrer selbst, sich nun loszureißen und seinen Stab weiterzusetzen, da ihm die Welt offen stehe und ihm, nachdem er in ihrem Umgange, in ihrer Schule so sehr sein Herz veredelt habe, gewiß noch das schönste Glück lachen werde, während sie ihn nie vergessen und sich der Einsamkeit ergeben wolle. Er weinte wahrhaftige Tränen, als er sich so schicken ließ und aus dem Städtlein zog. Sein Werk dagegen thronte seitdem auf Züsis altväterischer Kommode, von einem meergrünen Gazeschleier bedeckt, dem Staub und allen unwürdigen Blicken entzogen. Sie hielt es so heilig, daß sie es ungebraucht und neu erhielt und gar nichts in die Behältnisse steckte, auch nannte sie den Urheber desselben in der Erinnerung Emanuel, während er Veit geheißen, und sagte jedermann, nur Emanuel habe sie verstanden und ihr Wesen erfaßt. Nur ihm selber hatte sie das selten zugestanden, sondern ihn in ihrem strengen Sinne kurzgehalten und zur höheren Anspornung ihm häufig gezeigt, daß er sie am wenigsten verstehe, wenn er sich am meisten einbilde, es zu tun. Dagegen spielte er ihr auch einen Streich und legte in einen doppelten Boden, auf dem innersten Grunde des Tempels, den allerschönsten Brief, von Tränen benetzt, worin er eine unsägliche Betrübnis, Liebe, Verehrung und ewige Treue aussprach, und in so hübschen und unbefangenen Worten, wie sie nur das wahre Gefühl findet, welches sich in eine Vexiergasse verrannt hat. So schöne Dinge hatte er gar nie ausgesprochen, weil sie ihn niemals zu Worte kommen ließ. Da sie aber keine Ahnung hatte von dem verborgenen Schatze, so geschah es hier, daß das Schicksal gerecht war und eine falsche Schöne das nicht zu Gesicht bekam, was sie nicht zu sehen verdiente. Auch war es ein Symbol, daß sie es war, welche das törichte, aber innige und aufrichtig gemeinte Wesen des Buchbinders nicht verstanden.

Schon lange hatte sie das Leben der drei Kammacher gelobt und dieselben drei gerechte und verständige Männer genannt; denn sie hatte sie wohl beobachtet. Als daher Dietrich der Schwabe begann, sich länger bei ihr aufzuhalten, wenn er sein Hemde brachte oder holte, und ihr den Hof zu machen, benahm sie sich freundschaftlich gegen ihn und hielt ihn mit trefflichen Gesprächen stundenlang bei sich fest, und Dietrich redete ihr voll Bewunderung nach dem Munde, so stark er konnte; und sie vermochte ein tüchtiges Lob zu ertragen, ja sie liebte den Pfeffer desselben um so mehr, je stärker er war, und wenn man ihre Weisheit pries, hielt sie sich möglichst still, bis man das Herz geleert, worauf sie mit erhöhter Salbung den Faden aufnahm und das Gemälde da und dort ergänzte, das man von ihr entworfen. Nicht lange war Dietrich bei Züs aus und ein gegangen, so hatte sie ihm auch schon den Gültbrief gezeigt, und er war voll guter Dinge und tat gegen seine Gefährten so heimlich wie einer, der das Perpetuum mobile erfunden hat. Jobst und Fridolin kamen ihm jedoch bald auf die Spur und erstaunten über seinen tiefen Geist und über seine Gewandtheit. Jobst besonders schlug sich förmlich vor den Kopf; denn schon seit Jahren ging er ja auch in das Haus, und noch nie war ihm eingefallen, etwas anderes da zu suchen als seine Wäsche; er haßte vielmehr die Leute beinahe, weil sie die einzigen waren, bei welchen er einige bare Pfennige herausklauben mußte allwöchentlich. An eine eheliche Verbindung pflegte er nie zu denken, weil er unter einer Frau nichts anderes 218 denken konnte als ein Wesen, das etwas von ihm wollte, was er nicht schuldig sei, und etwas von einer selbst zu wollen, was ihm nützlich sein könnte, fiel ihm auch nicht ein, da er nur sich selbst vertraute und seine kurzen Gedanken nicht über den nächsten und allerengsten Kreis seines Geheimnisses hinausgingen. Aber jetzt galt es, dem Schwäbchen den Rang anzulaufen, denn dieses konnte mit den siebenhundert Gulden der Jungfer Züs schlimme Geschichten aufstellen, wenn es sie erhielt, und die siebenhundert Gulden selbst bekamen auf einmal einen verklärten Glanz und Schimmer in den Augen des Sachsen wie des Bayers. So hatte Dietrich, der Erfindungsreiche, nur ein Land entdeckt, welches alsobald Gemeingut wurde, und teilte das herbe Schicksal aller Entdecker; denn die zwei andern folgten sogleich seiner Fährte und stellten sich ebenfalls bei Züs Bünzlin auf, und diese sah sich von einem ganzen Hof verständiger und ehrbarer Kammmacher umgeben. Das gefiel ihr ausnehmend wohl; noch nie hatte sie mehrere Verehrer auf einmal besessen, weshalb es eine neue Geistesübung für sie ward, diese drei mit der größten Klugheit und Unparteilichkeit zu behandeln und im Zaume zu halten und sie so lange mit wunderbaren Reden zur Entsagung und Uneigennützigkeit aufzumuntern, bis der Himmel über das Unabänderliche etwas entschiede. Denn da jeder von ihnen ihr insbesondere sein Geheimnis und seinen Plan vertraut hatte, so entschloß sie sich auf der Stelle, denjenigen zu beglücken, welcher sein Ziel erreiche und Inhaber des Geschäftes würde. Den Schwaben, welcher es nur durch sie werden konnte, schloß sie aber davon aus und nahm sich vor, diesen jedenfalls nicht zu heiraten; weil er aber der jüngste, klügste und liebenswürdigste der Gesellen war, so gab sie ihm durch manche stille Zeichen noch am ehesten einige Hoffnung und spornte durch die Freundlichkeit, mit welcher sie ihn besonders zu beaufsichtigen und zu regieren schien, die anderen zu größerm Eifer an, so daß dieser arme Kolumbus, der das schöne Land erfunden hatte, vollständig der Narr im Spiele ward. Alle drei 219 wetteiferten miteinander in der Ergebenheit, Bescheidenheit und

Verständigkeit und in der anmutigen Kunst, sich von der gestrengen Jungfrau im Zaume halten zu lassen und sie ohne Eigennutz zu bewundern, und wenn die ganze Gesellschaft beieinander war, glich sie einem seltsamen Konventikel, in welchem die sonderbarsten Reden geführt wurden. Trotz aller Frömmigkeit und Demut geschah es doch alle Augenblicke, daß einer oder der andere, vom Lobpreisen der gemeinsamen Herrin plötzlich abspringend, sich selbst zu loben und herauszustreichen versuchte und sich, sanft von ihr zurechtgewiesen, beschämt unterbrochen sah oder anhören mußte, wie sie ihm die Tugenden der übrigen entgegenhielt, die er eiligst anerkannte und bestätigte.

Aber dies war ein strenges Leben für die armen Kammmacher; so kühl sie von Gemüt waren, gab es doch, seit einmal ein Weib im Spiele, ganz ungewohnte Erregungen der Eifersucht, der Besorgnis, der Furcht und der Hoffnung; sie rieben sich in Arbeit und Sparsamkeit beinahe auf und magerten sichtlich ab; sie wurden schwermütig, und während sie vor den Leuten und besonders bei Züs sich der friedlichsten Beredsamkeit beflissen, sprachen sie, wenn sie zusammen bei der Arbeit oder in ihrer Schlafkammer saßen, kaum ein Wort miteinander und legten sich seufzend in ihr gemeinschaftliches Bett, noch immer so still und verträglich wie drei Bleistifte. Ein und derselbe Traum schwebte allnächtlich über dem Kleeblatt, bis er einst so lebendig wurde, daß Jobst an der Wand sich herumwarf und den Dietrich anstieß; Dietrich fuhr zurück und stieß den Fridolin, und nun brach in den schlummertrunkenen Gesellen ein wilder Groll aus und in dem Bette der streckbarste Kampf, in dem sie während drei Minuten sich so heftig mit den Füßen stießen, traten und ausschlugen, daß alle sechs Beine sich ineinander verwickelten und der ganze Knäuel unter furchtbarem Geschrei aus dem Bette purzelte. Sie glaubten, völlig erwachend, der Teufel wolle sie holen oder es seien Räuber in die Kammer gebrochen; sie sprangen schreiend auf, Jobst stellte sich auf seinen Stein, Fridolin eiligst auf seinen und Dietrich auf denjenigen, unter welchem sich bereits auch seine kleine Ersparnis angesetzt hatte, und indem sie so in einem Dreieck standen, zitterten und mit den 220

Armen vor sich hin in die Luft schlugen, schrieen sie Zetermordio und riefen »Geh fort! geh fort!« bis der erschreckte Meister in die Kammer drang und die tollen Gesellen beruhigte. Zitternd vor Furcht, Groll und Scham zugleich krochen sie endlich wieder ins Bett und lagen lautlos nebeneinander bis zum Morgen. Aber der nächtliche Spuk war nur ein Vorspiel gewesen eines größern Schreckens, der sie jetzt erwartete, als der Meister ihnen beim Frühstück eröffnete, daß er nicht mehr drei Arbeiter brauchen könne und daher zwei von ihnen wandern müßten. Sie hatten nämlich des Guten zuviel getan und so viel Ware zuweg gebracht, daß ein Teil davon liegenblieb, indes der Meister den vermehrten Erwerb dazu verwendet hatte, das Geschäft, als es auf dem Gipfelpunkt stand, um so rascher rückwärts zu bringen, und ein solch lustiges Leben führte, daß er bald doppelt soviel Schulden hatte, als er einnahm. Daher waren ihm die Gesellen, so fleißig und enthaltsam sie auch waren, plötzlich eine überflüssige Last. Er sagte ihnen zum Trost, daß sie ihm alle drei gleich lieb und wert wären und es ihnen überließe, unter sich auszumachen, welcher dableiben und welche wandern sollten. Aber sie machten nichts aus, sondern standen da bleich wie der Tod und lächelten einer den andern an; dann gerieten sie in eine furchtbare Aufregung, da dies die verhängnisvollste Stunde war; denn die Ankündigung des Meisters war ein sicheres Zeichen, daß er es nicht lange mehr treiben und das Kammfabrikchen endlich wieder käuflich würde. Also war das Ziel, nach dem sie alle gestrebt, nahe und glänzte wie ein himmlisches Jerusalem, und zwei sollten vor den Toren desselben umkehren und ihm den Rücken wenden. Ohne alle fürdere Rücksicht erklärte jeder, 221 dableiben zu wollen, und wenn er ganz umsonst arbeiten müsse. Der Meister konnte aber auch dies nicht brauchen und versicherte sie, daß zwei von ihnen jedenfalls gehen müßten; sie fielen ihm zu Füßen, sie rangen die Hände, sie beschworen ihn, und jeder bat insbesondere für sich, daß er ihn behalten möchte, nur noch zwei Monate, nur noch vier Wochen. Allein er wußte wohl, worauf sie spekulierten, ärgerte sich darüber und machte sich über sie lustig, indem er plötzlich einen spaßhaften Ausweg vorschlug, wie sie die

Sache entscheiden sollten. »Wenn ihr euch durchaus nicht einigen könnt«, sagte er, »welche von euch den Abschied wollen, so will ich euch die Weise angeben, wie ihr die Sache entscheidet, und so soll es dann sein und bleiben! Morgen ist Sonntag, da zahle ich euch aus, ihr packt euer Felleisen, ergreift euren Stab und wandert alle drei einträchtiglich zum Tore hinaus, eine gute halbe Stunde weit, auf welche Seite ihr wollt. Alsdann ruhet ihr euch aus und könnt auch einen Schoppen trinken, wenn ihr mögt, und habt ihr das getan, so wandert ihr wieder in die Stadt herein, und welcher dann der erste sein wird, der mich von neuem um Arbeit anspricht, den werde ich behalten; die andern aber werden unausbleiblich gehen, wo es ihnen beliebt!« Sie fielen ihm abermals zu Füßen und baten ihn, von diesem grausamen Vorhaben abzustehen, aber umsonst; er blieb fest und unerbittlich. Unversehens sprang der Schwabe auf und rannte wie besessen zum Hause hinaus und zu Züs Bünzlin hinüber; kaum gewahrten dies Jobst und der Bayer, so unterbrachen sie ihr Lamentieren und rannten ihm nach, und die verzweifelte Szene war alsobald in die Wohnung der erschrockenen Jungfrau verlegt.

Diese war sehr betroffen und bewegt durch das unerwartete Abenteuer; doch faßte sie sich zuerst, und die Lage der Dinge überschauend, beschloß sie, ihr eigenes Schicksal an des Meisters wunderlichen Einfall zu knüpfen, und betrachtete diesen als eine höhere Eingebung; sie holte gerührt ein Schatzkästlein hervor und stach mit einer Nadel zwischen die Blätter, und der Spruch, welchen sie aufschlug, handelte vom unentwegten Verfolgen eines guten Zieles. Sodann ließ sie die aufgeregten Gesellen aufschlagen, und alles, was diese aufschlugen, handelte vom eifrigen Wandel auf dem schmalen Wege, vom Vorwärtsgehen ohne Rückschauen, von einer Laufbahn, kurz vom Laufen und Rennen aller Art, so daß der morgende Wettlauf deutlich vom Himmel vorgeschrieben schien. Da sie aber befürchtete, daß Dietrich als der Jüngste leicht am besten springen und die Palme erringen könnte, beschloß sie, selbst mit den drei Liebhabern auszuziehen und zu sehen, was etwa zu ihrem Vorteil zu machen wäre; denn sie wünschte, daß nur einer der zwei

222

Ältern Sieger würde, und es war ihr ganz gleichgültig, welcher. Sie befahl daher den Wehklagenden und sich Bezankenden Ruhe und Ergebung und sagte »Wisset, meine Freunde, daß nichts ohne Bedeutung geschieht, und so merkwürdig und ungewöhnlich die Zumutung eures Meisters ist, so müssen wir sie doch als eine Fügung ansehen und uns mit einer höheren Weisheit, von welcher der mutwillige Mann nichts ahnt, dieser jähen Entscheidung unterwerfen. Unser friedliches und verständiges Zusammenleben ist zu schön gewesen, als daß es noch lange so erbaulich stattfinden könnte; denn ach! alles Schöne und Ersprießliche ist ja so vergänglich und vorübergehend, und nichts besteht in die Länge als das Übel, das Hartnäckige und die Einsamkeit der Seele, die wir alsdann mit unserer frommen Vernünftigkeit betrachten und beobachten. Daher wollen wir, ehe sich etwa ein böser Dämon des Zwiespaltes unter uns erhebt, uns lieber vorher freiwillig trennen und auseinander scheiden, wie die lieben Frühlingslüftlein, wenn sie ihren eilenden Lauf am Himmel nehmen, ehe wir auseinanderfahren wie der Sturmwind des Herbstes. Ich selbst will euch hinausbegleiten auf dem schweren Wege und zugegen sein, wenn ihr den Prüfungslauf antretet, damit ihr einen fröhlichen Mut fasset und einen schönen Antrieb hinter euch habt, während vor euch das Ziel des Sieges winkt. Aber so wie der Sieger sich seines Glückes nicht überheben 223 wird, so sollen die, welche unterliegen, nicht verzagen und keinen Gram oder Groll von dannen nehmen, sondern unsers liebevollen Andenkens gewärtig sein und als vergnügte Wanderjünglinge in die weite Welt ziehen; denn die Menschen haben viele Städte gebauet, welche so schön oder noch schöner sind wie Seldwyla Rom ist eine große merkwürdige Stadt, allwo der Heilige Vater wohnt, und Paris ist eine gar mächtige Stadt mit vielen Seelen und herrlichen Palästen, und in Konstantinopel herrscht der Sultan, von türkischem Glauben, und Lissabon, welches einst durch ein Erdbeben verschüttet ward, ist desto schöner wieder aufgebaut worden. Wien ist die Hauptstadt von Österreich und die Kaiserstadt genannt, und London ist die reichste Stadt der Welt, in Engelland gelegen, an einem Fluß, der die Themse benannt wird. Zwei Millionen Menschen wohnen da! Petersburg aber ist die Haupt- und Residenzstadt von Rußland, so wie Neapel die Hauptstadt des Königreiches gleichen Namens, mit dem feuerspeienden Berg Vesuvius, auf welchem einst einem englischen Schiffshauptmann eine verdammte Seele erschienen ist, wie ich in einer merkwürdigen Reisebeschreibung gelesen habe, welche Seele einem gewissen John Smidt angehöret, der vor hundertundfünfzig Jahren ein gottloser Mann gewesen und nun besagtem Hauptmann einen Auftrag erteilte an seine Nachkommen in England, damit er erlöst würde; denn der ganze Feuerberg ist ein Aufenthalt der Verdammten, wie auch in des gelehrten Peter Haslers Traktatus über die mutmaßliche Gelegenheit der Hölle zu lesen ist. Noch viele andere Städte gibt es, wovon ich nur noch Mailand, Venedig, das ganz im Wasser gebaut ist, Lyon, Marseilingen, Straßburg, Köllen und Amsterdam nennen will; Paris hab ich schon gesagt, aber noch nicht Nürnberg, Augsburg und Frankfurt, Basel, Bern und Genf, alles schöne Städte, sowie das schöne Zürich, und weiterhin noch eine Menge, mit deren Aufzählung ich nicht fertig würde. Denn alles hat seine Grenzen, nur nicht die Erfindungsgabe der Menschen, welche sich allwärts ausbreiten und alles unternehmen, was ihnen nützlich scheint. Wenn sie gerecht sind, so wird es 224 ihnen gelingen, aber der Ungerechte vergehet wie das Gras der Felder und wie ein Rauch. Viele sind erwählt, aber wenige sind berufen. Aus allen diesen Gründen und in noch manch anderer Hinsicht, die uns die Pflicht und die Tugend unseres reinen Gewissens auferlegen, wollen wir uns dem Schicksalsrufe unterziehen. Darum gehet und bereitet euch zur Wanderschaft, aber als gerechte und sanftmütige Männer, die ihren Wert in sich tragen, wo sie auch hingehen, und deren Stab überall Wurzel schlägt, welche, was sie auch ergreifen mögen, sich sagen können ich habe das bessere Teil erwählt!«

Die Kammacher wollten aber von allem nichts hören, sondern bestürmten die kluge Züs, daß sie einen von ihnen auserwählen und dableiben heißen solle, und jeder meinte damit sich selbst. Aber sie hütete sich, eine Wahl zu treffen, und kündigte ihnen ernsthaft und gebieterisch an, daß sie ihr gehorchen müßten, ansonst sie ihnen ihre Freundschaft auf immer entziehen würde. Jetzt rannte Jobst, der älteste, wieder davon und in das Haus des Meisters hinüber, und spornstreichs rannten die andern hinter ihm her, befürchtend, daß er dort etwas gegen sie unternähme, und so schossen sie den ganzen Tag umher wie Sternschnuppen und wurden sich untereinander so zuwider wie drei Spinnen in einem Netz. Die halbe Stadt sah dies seltsame Schauspiel der verstörten Kammacher, die bislang so still und ruhig gewesen, und die alten Leute wurden darüber ängstlich und hielten die Erscheinung für ein geheimnisvolles Vorzeichen schwerer Begebenheiten. Gegen Abend wurden sie matt und erschöpft, ohne daß sie sich eines Bessern besonnen und zu etwas entschieden hatten, und legten sich zähneklappernd in das alte Bett; einer nach dem andern kroch unter die Decke und lag da, wie vom Tode hingestreckt, in verwirrten Gedanken, bis ein heilsamer Schlaf ihn umfing. Jobst war der erste, welcher in aller Frühe erwachte und sah, daß ein heiterer Frühlingsmorgen in die Kammer schien, in welcher er nun schon seit sechs Jahren geschlafen. So dürftig das Gemach aussah, so erschien es ihm doch wie ein Paradies, welches er verlassen sollte, und zwar so ungerechterweise. Er ließ seine Augen umhergehen an den Wänden und zählte alle die vertrauten Spuren von den vielen Gesellen, die hier schon gewohnt kürzere oder längere Zeit; hier hatte der seinen Kopf zu reiben gepflegt und einen dunklen Fleck verfertigt, dort hatte jener einen Nagel eingeschlagen, um seine Pfeife daran zu hängen, und das rote Schnürchen hing noch daran. Welche gute Menschen waren das gewesen, daß sie so harmlos wieder davongegangen, während diese, welche neben ihm lagen, durchaus nicht weichen wollten. Dann heftete er sein Auge auf die Gegend zunächst seinem Gesichte und betrachtete da die kleineren Gegenstände, welche er schon tausendmal betrachtet, wenn er des Morgens oder am Abend noch bei Tageshelle im Bette lag und sich eines seligen, kostenfreien Daseins erfreute. Da war eine beschädigte Stelle in dem Bewurf, welche wie ein Land aussah mit Seen und Städten, und ein Häufchen von groben Sandkörnern stellte eine glückselige Inselgruppe vor; weiterhin erstreckte sich eine lange Schweinsborste, welche aus dem Pinsel gefallen und in der blauen Tünche steckengeblieben war; denn Jobst hatte im letzten Herbst einmal ein kleines Restchen solcher Tünche gefunden und, damit es nicht umkommen sollte, eine Viertelswandseite damit angestrichen, soweit es reichen wollte, und zwar hatte er die Stelle bemalt, wo er zunächst im Bette lag. Jenseits der Schweinsborste aber ragte eine ganz geringe Erhöhung, wie ein kleines blaues Gebirge, welches einen zarten Schlagschatten über die Borste weg nach den glückseligen Inseln hinüberwarf. Über dies Gebirge hatte er schon den ganzen Winter gegrübelt, da es ihm dünkte, als ob es früher nicht dagewesen wäre. Wie er nun mit seinem traurigen, duselnden Auge dasselbe suchte und plötzlich vermißte, traute er seinen Sinnen kaum, als er statt desselben einen kleinen kahlen Fleck an der Mauer fand, dagegen sah, wie der winzige blaue Berg nicht weit davon sich bewegte und zu wandeln 226 schien. Erstaunt fuhr Jobst in die Höhe, als ob er ein blaues Wunder sähe, und sah, daß es eine Wanze war, welche er also im vorigen Herbst achtlos mit der Farbe überstrichen, als sie schon in Erstarrung dagesessen hatte. Jetzt aber war sie von der Frühlingswärme neu belebt, hatte sich aufgemacht und stieg eben in diesem Augenblicke mit ihrem blauen Rücken unverdrossen die Wand hinan. Er blickte ihr gerührt und voll Verwunderung nach; solange sie im Blauen ging, war sie kaum von der Wand zu unterscheiden; als sie aber aus dem gestrichenen Bereich hinaustrat und die letzten vereinzelten Spritze hinter sich hatte, wandelte das gute himmelblaue Tierchen weithin sichtbar seine Bahn durch die dunkleren Bezirke. Wehmütig sank Jobst in den Pfülmen zurück; so wenig er sich sonst aus dergleichen machte, rührte diese Erscheinung doch jetzt ein Gefühl in ihm auf, als ob er doch auch endlich wieder wandern müßte, und es bedünkte ihm ein gutes Zeichen zu sein, daß er sich in das Unabänderliche ergeben und sich wenigstens mit gutem Willen auf den Weg machen solle. Durch diese ruhigeren Gedanken kehrte seine natürliche Besonnenheit und Weisheit zurück, und indem er die Sache näher überlegte, fand er, daß, wenn er sich ergebungsvoll und bescheiden anstelle, sich dem schwierigen Werke unterziehe und dabei sich zusammennehme und klug verhalte, er noch am ehesten über seine Nebenbuhler obsiegen könne. Sachte stieg er aus dem Bette und begann seine Sachen zu ordnen und vor allem seinen Schatz zu heben und zuunterst in das alte Felleisen zu verpacken. Darüber erwachten sogleich seine Gefährten; wie diese sahen, daß er so gelassen sein Bündel schnürte, verwunderten sie sich sehr und noch mehr, als Jobst sie mit versöhnlichen Worten anredete und ihnen einen guten Morgen wünschte. Weiter ließ er sich aber nicht aus, sondern fuhr in seinem Geschäfte still und friedfertig fort. Sogleich, obschon sie nicht wußten, was er im Schilde führe, witterten sie eine Kriegslist in seinem Benehmen und 227 ahmten es auf der Stelle nach, höchst aufmerksam auf alles, was er ferner beginnen würde. Hiebei war es seltsam, wie sie alle drei zum ersten Mal offen ihre Schätze unter den Fliesen hervorholten und dieselben, ohne sie zu zählen, in die Ranzen versorgten. Denn sie wußten schon lange, daß jeder das Geheimnis der übrigen kannte, und nach alter ehrbarer Art mißtrauten sie sich nicht in der Weise, daß sie eine Verletzung des Eigentums befürchteten, und jeder wußte wohl, daß ihn die andern nicht berauben würden, wie denn in den Schlafkammern der Handwerksgesellen, Soldaten und dergleichen kein Verschluß und kein Mißtrauen bestehen soll.

So waren sie unversehens zum Aufbruch gerüstet, der Meister zahlte ihnen den Lohn aus und gab ihnen ihre Wanderbücher, in welche von der Stadt und vom Meister die allerschönsten Zeugnisse geschrieben waren über ihre gute andauernde Führung und Vortrefflichkeit, und sie standen wehmutsvoll vor der Haustüre der Züs Bünzlin, in lange braune Röcke gekleidet mit alten verwaschenen Staubhemden darüber, und die Hüte, obgleich sie verjährt und abgebürstet genug waren, sorglich mit Wachsleinwand überzogen. Hinten auf dem Felleisen hatte jeder ein kleines Wägelchen befestigt, um das Gepäck darauf zu ziehen, wenn es ins Weite ginge; sie dachten aber die Räder nicht zu brauchen, und deswegen ragten dieselben hoch über ihrem Rücken. Jobst stützte sich auf einen ehrbaren Rohrstock, Fridolin auf einen rot und schwarz geflammten und gemalten Eschenstab und Dietrich auf ein abenteuerliches Stockungeheuer, um welches sich ein wildes Geflecht von Zweigen wand. Er schämte sich aber beinahe dieses prahlerischen Dinges, da es noch aus der ersten Wanderzeit herstammte, wo er bei weitem noch nicht so gesetzt und vernünftig gewesen wie jetzt. Viele Nachbaren und deren Kinder umstanden die ernsten drei Männer und wünschten ihnen Glück auf den Weg. Da erschien Züs unter der Türe, mit feierlicher Miene, und zog an der Spitze der Gesellen gefaßten Mutes aus dem Tore. Sie hatte ihnen zu Ehren einen un- 228 gewöhnlichen Staat angelegt, trug einen großen Hut mit mächtigen gelben Bändern, ein rosafarbenes Indiennekleid mit verschollenen Ausladungen und Verzierungen, eine schwarze Sammetschärpe mit einer Tombakschnalle und rote Saffianschuhe mit Fransen besetzt. Dazu trug sie einen grünseidenen großen Ritikül, welchen sie mit gedörrten Birnen und Pflaumen gefüllt hatte, und hielt ein Sonnenschirmchen ausgespannt, auf welchem oben eine große Lyra aus Elfenbein stand. Sie hatte auch ihr Medaillon mit dem blonden Haardenkmal umgehängt und das goldene Vergißmeinnicht vorgesteckt und trug weiße gestrickte Handschuhe. Sie sah freundlich und zart aus in all diesem Schmuck, ihr Antlitz war leicht gerötet, und ihr Busen schien sich höher als sonst zu heben, und die ausziehenden Nebenbuhler wußten sich nicht zu lassen vor Wehmut und Betrübnis; denn die äußerste Lage der Dinge, der schöne Frühlingstag, der ihren Auszug beschien, und Züsis Putz mischten in ihre gespannten Empfindungen fast etwas von dem, was man wirklich Liebe nennt. Vor dem Tore ermahnte aber die freundliche Jungfrau ihre Liebhaber, die Felleisen auf die Räderchen zu stellen und zu ziehen, damit sie sich nicht unnötigerweise ermüdeten. Sie taten es, und als sie hinter dem Städtlein hinaus die Berge hinanfuhren, war es fast wie ein Artilleriewesen, das da hinauffuhrwerkte, um oben eine Batterie zu besetzen. Als sie eine gute halbe Stunde dahingezogen, machten sie halt auf einer anmutigen Anhöhe, über welche ein Kreuzweg ging, und setzten sich unter einer Linde in einen Halbkreis, wo man eine weite Aussicht genoß und über Wälder, Seen und Ortschaften wegsah. Züs öffnete ihren Beutel und gab jedem eine Handvoll Birnen und Pflaumen, um sich zu erfrischen, und sie saßen so eine geraume Weile schweigend und ernst, nur mit den schnalzenden Zungen, wenn sie die süßen Früchte damit zerdrückten, ein sanftes Geräusch erregend.

Dann begann Züs, indem sie einen Pflaumenkern fortwarf und 229 die davon gefärbten Fingerspitzen am jungen Grase abwischte, zu sprechen: »Lieben Freunde! Sehet, wie schön und weitläufig die Welt ist, ringsherum voll herrlicher Sachen und voll Wohnungen der Menschen! Und dennoch wollte ich wetten, daß in dieser feierlichen Stunde nirgends in dieser weiten Welt vier so rechtfertige und gutartige Seelen beieinander versammelt sitzen, wie wir hier sind, so sinnreich und bedachtsam von Gemüt, so zugetan allen arbeitsamen Übungen und Tugenden, der Eingezogenheit, der Sparsamkeit, der Friedfertigkeit und der innigen Freundschaft. Wie viele Blumen stehen hier um uns herum, von allen Arten, die der Frühling hervorbringt, besonders die gelben Schlüsselblumen, welche einen wohlschmeckenden und gesunden Tee geben; aber sind sie gerecht oder arbeitsam? sparsam, vorsichtig und geschickt zu klugen und lehrreichen Gedanken? Nein, es sind unwissende und geistlose Geschöpfe, unbeseelt und vernunftlos vergeuden sie ihre Zeit, und so schön sie sind, wird ein totes Heu daraus, während wir in unserer Tugend ihnen so weit überlegen sind und ihnen wahrlich an Zier der Gestalt nichts nachgeben; denn Gott hat uns nach seinem Bilde geschaffen und uns seinen göttlichen Odem eingeblasen. Oh, könnten wir doch ewig hier so sitzen in diesem Paradiese und in solcher Unschuld! ja, meine Freunde, es ist mir so, als wären wir sämtlich im Stande der Unschuld, aber durch eine sündenlose Erkenntnis veredelt; denn wir alle können, Gott sei Dank, lesen und schreiben und haben alle eine geschickte Hantierung gelernt. Zu vielem hätte ich Geschick und Anlagen und getraute mir wohl, Dinge zu verrichten, wie sie das gelehrteste Fräulein nicht kann, wenn ich, über meinen Stand hinausgehen wollte; aber die Bescheidenheit und die Demut sind die vornehmste Tugend eines rechtschaffenen Frauenzimmers, und es genügt mir zu wissen, daß mein Geist nicht wertlos und verachtet ist vor einer höheren Einsicht. Schon viele haben mich begehrt, die meiner nicht wert waren, und nun auf einmal sehe ich drei würdige Junggesellen um mich versammelt, von denen ein jeder gleich wert wäre, mich zu besitzen! Bemesset darnach, wie mein Herz in diesem wunderbaren Überflusse schmachten muß, und nehmet euch jeder ein Beispiel an mir und denket euch, jeder wäre von drei gleich werten Jungfrauen umblühet, die sein begehrten, und er könnte sich um deswillen zu keiner hinneigen und gar keine bekommen! Stellt euch, doch recht lebhaft vor, um jeden von euch buhleten drei Jungfern Bünzlin und säßen so um euch her, gekleidet wie ich und von gleichem Ansehen, so daß ich gleichsam verneunfacht hier vorhanden wäre und euch von allen Seiten anblickte und nach euch schmachtete! Tut ihr dies?« 230

Die wackeren Gesellen hörten verwundert auf zu kauen und studierten mit einfältigen Gesichtern, die seltsame Aufgabe zu lösen. Das Schwäblein kam zuerst damit zustande und rief mit lüsternem Gesicht »Ja, werteste Jungfer Züs! wenn Sie es denn gütigst erlauben, so sehe ich Sie nicht nur dreifach, sondern verhundertfacht um mich herumschweben und mich mit huldreichen Äuglein anblicken und mir tausend Küßlein anbieten!«

»Nicht doch!« sagte Züs, unwillig verweisend, »nicht in so ungehöriger und übertriebener Weise! Was fällt Ihnen denn ein, unbescheidener Dietrich? Nicht hundertfach und nicht Küßlein anbietend habe ich es erlaubt, sondern nur dreifach für jeden und in züchtiger und ehrbarer Manier, daß mir nicht zu nahe geschieht!«

»Ja«, rief jetzt endlich Jobst und zeigte mit einem abgenagten Birnenstiel um sich her, »nur dreifach, aber in größter Ehrbarkeit sehe ich die liebste Jungfer Bünzlin um mich her spazieren und mir wohlwollend zuwinken, indem sie die Hand aufs Herz legt! Ich danke sehr, danke, danke ergebenst!« sagte er schmunzelnd, sich nach drei Seiten verneigend, als ob er wirklich die Erscheinungen sähe. »So ist's recht«, sagte Züs lächelnd, »wenn irgendein Unterschied zwischen euch besteht, so seid Ihr doch der Begabteste, lieber Jobst, wenigstens der Verständigste!« Der Bayer Fridolin war immer noch nicht fertig mit seiner Vorstellung, da er aber den Jobst so loben hörte, wurde es ihm angst, und er rief eilig »Ich sehe auch die liebste Jungfrau Bünzlin dreifach um mich her spazieren in größter Ehrbarkeit und mir wollüstig zuwinken, indem sie die Hand 231 auf –«

»Pfui, Bayer!« schrie Züs und wandte das Gesicht ab, »nicht ein Wort weiter! Woher nehmen Sie den Mut, von mir in so wüsten Worten zu reden und sich solche Sauereien einzubilden? Pfui, Pfui!« Der arme Bayer war wie vom Donner gerührt und wurde glühend rot, ohne zu wissen wofür; denn er hatte sich gar nichts eingebildet und nur ungefähr dem Klange noch gesagt, was er von Jobsten gehört, da er gesehen, wie dieser für seine Rede belobt worden. Züs wandte sich wieder zu Dietrich und sagte »Nun, lieber Dietrich, haben Sie's noch nicht auf eine etwas bescheidenere Art zuwege gebracht?« – »Ja, mit Ihrer Erlaubnis«, erwiderte er, froh, wieder angeredet zu werden, »ich erblicke Sie jetzt nur dreimal um mich her, freundlich, aber anständig mich anschauend und mir drei weiße Hände bietend, welche ich küsse!«

»Gut denn!« sagte Züs, »und Sie, Fridolin? sind Sie noch nicht von Ihrer Abirrung zurückgekehrt? Kann sich Ihr ungestümes Blut noch nicht zu einer wohlanständigen Vorstellung beruhigen?« – »Um Vergebung!« sagte Fridolin kleinlaut, »ich glaube jetzt drei Jungfern zu sehen, die mir gedörrte Birnen anbieten und mir nicht abgeneigt scheinen. Es ist keine schöner als die andere, und die Wahl unter ihnen scheint mir ein bitteres Kraut zu sein.«

»Nun also«, sprach Züs, »da ihr in eurer Einbildungskraft von neun solchen ganz gleich werten Personen umgeben seid und in diesem liebreizenden Überflusse dennoch Mangel in eurem Herzen leidet, ermesset darnach meinen eigenen Zustand; und wie ihr an mir sahet, daß ich mich weisen und bescheidenen Herzens zu fassen weiß, so nehmet doch ein Beispiel an meiner Stärke und gelobet mir und euch untereinander, euch ferner zu vertragen und, wie ich liebevoll von euch scheide, euch ebenso liebevoll voneinander zu
232
trennen, wie auch das Schicksal, das eurer wartet, entscheiden möge! So leget denn alle eure Hände zusammen in meine Hand und gelobt es!«

»Ja, wahrhaftig«, rief Jobst, »ich will es wenigstens tun, an mir soll's nicht fehlen!« und die andern zwei riefen eiligst: »An mir auch nicht, an mir auch nicht!« und sie legten alle die Hände zusammen, wobei sich jedoch jeder vornahm, auf alle Fälle zu springen, so gut er vermochte. »An mir soll es wahrhaftig nicht fehlen!« wiederholte Jobst, »denn ich bin von Jugend auf barmherziger und einträchtiger Natur gewesen. Noch nie habe ich einen Streit gehabt und konnte nie ein Tierlein leiden sehen; wo ich noch gewesen bin, habe ich mich gut vertragen und das beste Lob geerntet ob meines geruhsamen Betragens; denn obgleich ich gar manche Dinge auch ein bißchen verstehe und ein verständiger junger Mann bin, so hat man nie gesehen, daß ich mich in etwas mischte, was mich nichts anging, und habe stets meine Pflicht auf eine einsichtsvolle Weise getan. Ich kann arbeiten, soviel ich will, und es schadet mir nichts, da ich gesund und wohlauf bin und in den besten Jahren! Alle meine Meisterinnen haben noch gesagt, ich sei ein Tausendsmensch, ein Ausbund, und mit mir sei gut auskommen! Ach! ich glaube wirklich selbst, ich könnte leben wie im Himmel mit Ihnen, allerliebste Jungfer Züs!«

»Ei!« sagte der Bayer eifrig, »das glaub ich wohl, das wäre auch keine Kunst, mit der Jungfer wie im Himmel zu leben! Das wollt ich mir auch zutrauen, denn ich bin nicht auf den Kopf gefallen! Mein Handwerk versteh ich aus dem Grund und weiß die Dinge in Ordnung zu halten, ohne ein Unwort zu verlieren. Nirgends habe ich Händel bekommen, obgleich ich in den größten Städten gearbeitet habe, und niemals habe ich eine Katze geschlagen oder eine Spinne getötet. Ich bin mäßig und enthaltsam und mit jeder Nahrung zufrieden, und ich weiß mich am Geringfügigsten zu vergnügen und damit zufrieden zu sein. Aber ich bin auch gesund und munter und kann etwas aushalten, ein gutes Gewissen ist das beste Lebenselixier, alle Tiere lieben mich und laufen mir nach, weil sie mein 233 gutes Gewissen wittern, denn bei einem ungerechten Menschen wollen sie nicht bleiben. Ein Pudelhund ist mir einst drei Tage lang nachgefolgt, als ich aus der Stadt Ulm verreiste, und ich mußte ihn endlich einem Bauersmann in Gewahrsam geben, da ich als ein demütiger Handwerksgesell kein solches Tier ernähren konnte, und als ich durch den Böhmerwald reiste, sind die Hirsche und Rehe auf zwanzig Schritt noch stehengeblieben und haben sich nicht vor mir gefürchtet. Es ist wunderbar, wie selbst die wilden Tiere sich bei den Menschen auskennen und wissen, welche guten Herzens sind!«

»Ja, das muß wahr sein!« rief der Schwabe, »seht ihr nicht, wie dieser Fink schon die ganze Zeit da vor mir herumfliegt und sich mir zu nähern sucht? Und jenes Eichhörnchen auf der Tanne sieht sich immerfort nach mir um, und hier kriecht ein kleiner Käfer allfort an meinem Beine und will sich durchaus nicht vertreiben lassen. Dem muß es gewiß recht wohl sein bei mir, dem lieben guten Tierchen!«

Jetzt wurde aber Züs eifersüchtig und sagte etwas heftig »Bei mir wollen alle Tiere gern bleiben! Einen Vogel hab ich acht Jahre gehabt, und er ist sehr ungern von mir weggestorben; unsere Katze streicht mir nach, wo ich geh und stehe, und des Nachbars Tauben drängen und zanken sich vor meinem Fenster, wenn ich ihnen Brosamen streue! Wunderbare Eigenschaften haben die Tiere je nach ihrer Art! Der Löwe folgt gern den Königen nach und den Helden, und der Elefant begleitet den Fürsten und den tapfern Krieger; das Kamel trägt den Kaufmann durch die Wüste und bewahrt ihm frisches Wasser in seinem Bauch, und der Hund begleitet seinen Herrn durch alle Gefahren und stürzt sich für ihn in das Meer! Der Delphin liebet die Musik und folgt den Schiffen und der Adler den Kriegsheeren. Der Affe ist ein menschenähnliches Wesen und tut alles, was er die Menschen tun sieht, und der Papagei versteht 234 unsere Sprache und plaudert mit uns wie ein Alter! Selbst die Schlangen lassen sich zähmen und tanzen auf der Spitze ihres Schwanzes; das Krokodil weint menschliche Tränen und wird von den Bürgern dort geachtet und verschont; der Strauß läßt sich satteln und reiten wie ein Roß; der wilde Büffel ziehet den Wagen des Menschen und das gehörnte Renntier seinen Schlitten. Das Einhorn liefert ihm das schneeweiße Elfenbein und die Schildkröte ihre durchsichtigen Knochen –«

»Mit Verlaub«, sagten alle drei Kammacher zugleich, »hierin irren Sie sich gewißlich, das Elfenbein wird aus den Elefantenzähnen gewonnen, und die Schildpattkämme macht man aus der Schale, und nicht aus den Knochen der Schildkröte!«

Züs wurde feuerrot und sagte »Das ist noch die Frage, denn ihr habt gewiß nicht gesehen, wo man es hernimmt, sondern verarbeitet nur die Stücke; ich irre mich sonst selten, doch sei dem, wie ihm wolle, so lasset mich ausreden nicht nur die Tiere haben ihre merkwürdigen von Gott eingepflanzten Besonderheiten, sondern selbst das tote Gestein, so aus den Bergen gegraben wird. Der Kristall ist durchsichtig wie Glas, der Marmor aber hart und geädert, bald weiß und bald schwarz; der Bernstein hat elektrische Eigenschaften und ziehet den Blitz an; aber dann verbrennt er und riecht wie Weihrauch. Der Magnet zieht Eisen an, auf die Schiefertafeln kann man schreiben, aber nicht auf den Diamant, denn dieser ist hart wie Stahl; auch gebraucht ihn der Glaser zum Glasschneiden, weil er klein und spitzig ist. Ihr sehet, liebe Freunde, daß ich auch ein weniges von den Tieren zu sagen weiß! Was aber mein Verhältnis zu ihnen betrifft, so ist dies zu bemerken: Die Katze ist ein schlaues und listiges Tier und ist daher nur schlauen und listigen Menschen anhänglich; die Taube aber ist ein Sinnbild der Unschuld und Einfalt und kann sich nur von einfältigen, schuldlosen Seelen angezogen fühlen. Da mir nun Katzen und Tauben anhänglich sind, so folgt hieraus, daß ich klug und einfältig, schlau und unschuldig zugleich bin, wie es denn auch heißt Seid klug wie die Schlangen und einfältig wie die Tauben! Auf diese Weise können wir allerdings die Tiere und ihr Verhältnis zu uns würdigen und manches daraus lernen, wenn wir die Sache recht zu betrachten wissen.«

Die armen Gesellen wagten nicht ein Wort weiter zu sagen; Züs hatte sie gut zugedeckt und sprach noch viele hochtrabende Dinge durcheinander, daß ihnen Hören und Sehen verging. Sie bewunderten aber Züsis Geist und Beredsamkeit, und in solcher Bewunderung dünkte sich keiner zu schlecht, das Kleinod zu besitzen, besonders da diese Zierde eines Hauses so wohlfeil war und nur in einer rastlosen Zunge bestand. Ob sie selbst dessen, was sie so hochstellen, auch wert seien und etwas damit anzufangen wüßten, fragen sich solche Schwachköpfe zu allerletzt oder auch gar nicht, sondern sie sind wie die Kinder, welche nach allem greifen, was ihnen in die

Augen glänzt, von allen bunten Dingen die Farben abschlecken und ein Schellenspiel ganz in den Mund stecken wollen, statt es bloß an die Ohren zu halten. So erhitzten sie sich immer mehr in der Begierde und Einbildung, diese ausgezeichnete Person zu erwerben, und je schnöder, herzloser und eitler Züsens unsinnige Phrasen wurden, desto gerührter und jämmerlicher waren die Kammacher daran. Zugleich fühlten sie einen heftigen Durst von dem trockenen Obste, welches sie inzwischen aufgegessen; Jobst und der Bayer suchten im Gehölz nach Wasser, fanden eine Quelle und tranken sich voll kaltes Wasser. Der Schwabe hingegen hatte listigerweise ein Fläschchen mitgenommen, in welchem er Kirschgeist mit Wasser und Zucker gemischt, welches liebliche Getränk ihn stärken und ihm einen Vorschub gewähren sollte beim Laufen; denn er wußte, daß die andern zu sparsam waren, um etwas mitzunehmen oder eine Einkehr zu halten. Dies Fläschchen zog er jetzt eilig hervor, während jene sich mit Wasser füllten, und bot es der Jungfer Züs an; sie trank es halb aus, es schmeckte ihr vortrefflich und erquickte sie, und sie sah den Dietrich dabei überquer ganz holdselig an, daß
236
ihm der Rest, welchen er selber trank, so lieblich schmeckte wie Zyperwein und ihn gewaltig stärkte. Er konnte sich nicht enthalten, Züsis Hand zu ergreifen und ihr zierlich die Fingerspitzen zu küssen; sie tippte ihm leicht mit dem Zeigefinger auf die Lippen, und er tat, als ob er darnach schnappen wollte, und machte dazu ein Maul wie ein lächelnder Karpfen; Züs schmunzelte falsch und freundlich, Dietrich schmunzelte schlau und süßlich; sie saßen auf der Erde sich gegenüber und tätschelten zuweilen mit den Schuhsohlen gegeneinander, wie wenn sie sich mit den Füßen die Hände geben wollten. Züs beugte sich ein wenig vornüber und legte die Hand auf seine Schulter, und Dietrich wollte eben dies holde Spiel erwidern und fortsetzen, als der Sachse und der Bayer zurückkamen und bleich und stöhnend zuschauten. Denn es war ihnen von dem vielen Wasser, welches sie an die genossenen Backbirnen geschüttet, plötzlich elend geworden, und das Herzeleid, welches sie bei dem Anblicke des spielenden Paares empfanden, vereinigte sich mit dem öden Gefühle des Bauches, so daß ihnen der kalte Schweiß auf der

Stirne stand. Züs verlor aber die Fassung nicht, sondern winkte ihnen überaus freundlich zu und rief »Kommet, ihr Lieben, und setzet euch doch auch noch ein bißchen zu mir her, daß wir noch ein Weilchen und zum letzten Mal unsere Eintracht und Freundschaft genießen!« Jobst und Fridolin drängten sich hastig herbei und streckten ihre Beine aus; Züs ließ dem Schwaben die eine Hand, gab Jobsten die andere und berührte mit den Füßen Fridolins Stiefelsohlen, während sie mit dem Angesicht einen nach dem andern der Reihe nach anlächelte. So gibt es Virtuosen, welche viele Instrumente zugleich, spielen, auf dem Kopfe ein Glockenspiel schütteln, mit dem Munde die Panspfeife blasen, mit den Händen die Gitarre spielen, mit den Knien die Zimbel schlagen, mit dem Fuß den Dreiangel und mit den Ellbogen eine Trommel, die ihnen auf dem Rücken hängt.

Dann aber erhob sie sich von der Erde, strich ihr Kleid, welches sie sorgfältig aufgeschürzt hatte, zurecht und sagte »Nun ist es wohl Zeit, liebe Freunde! daß wir uns aufmachen und daß ihr euch, zu jenem ernsthaften Gange rüstet, welchen euch der Meister in seiner Torheit auferlegt, wir aber als die Anordnung eines höheren Geschickes ansehen! Tretet diesen Weg an voll schönen Eifers, aber ohne Feindschaft noch Neid gegeneinander, und überlasset dem Sieger willig die Krone!«

237

Wie von einer Wespe gestochen, sprangen die Gesellen auf und stellten sich auf die Beine. Da standen sie nun und sollten mit denselben einander den Rang ablaufen, mit denselben guten Beinen, welche bislang nur in bedachtem ehrbarem Schritt gewandelt! Keiner wußte sich mehr zu entsinnen, daß er je einmal gesprungen oder gelaufen wäre; am ehesten schien sich noch der Schwabe zu trauen und mit den Füßen sogar leise zu scharren und dieselben ungeduldig zu heben. Sie sahen sich ganz sonderbar und verdächtig an, waren bleich und schwitzten dabei, als ob sie schon im heftigsten Laufen begriffen wären.

»Gebet euch«, sagte Züs, »noch einmal die Hand!« Sie taten es, aber so willenlos und lässig, daß die drei Hände kalt voneinander abglitten und abfielen wie Bleihände. »Sollen wir denn wirklich das

Torenwerk beginnen?« sagte lobst und wischte sich die Augen, welche anfingen zu träufeln. »Ja«, versetzte der Bayer, »sollen wir wirklich laufen und springen?« und begann zu weinen. »Und Sie, allerliebste Jungfer Bünzlin?« sagte Jobst heulend, »wie werden Sie sich denn verhalten?« – »Mir geziemt«, antwortete sie und hielt sich das Schnupftuch vor die Augen, »mir geziemt zu schweigen, zu leiden und zuzusehen!« Der Schwabe sagte freundlich und listig »Aber dann nachher, Jungfer Züsi?« – »O Dietrich!« erwiderte sie sanft, »wissen Sie nicht, daß es heißt, der Zug des Schicksals ist des Herzens Stimme?« Und dabei sah sie ihn von der Seite so verblümt an, daß er abermals die Beine hob und Lust verspürte, sogleich in Trab zu geraten. Während die zwei Nebenbuhler ihre kleinen Felleisenfuhrwerke in Ordnung brachten und Dietrich das gleiche tat, 238 streifte sie mehrmals mit Nachdruck seinen Ellbogen oder trat ihm auf den Fuß; auch wischte sie ihm den Staub von dem Hute, lächelte aber gleichzeitig den andern zu, wie wenn sie den Schwaben auslachte, doch so, daß es dieser nicht sehen konnte. Alle drei bliesen jetzt mächtig die Backen auf und sandten große Seufzer in die Luft. Sie sahen sich um nach allen Seiten, nahmen die Hüte ab, wischten sich den Schweiß von der Stirn, strichen die steifgeklebten Haare und setzten die Hüte wieder auf. Nochmals schauten sie nach allen Winden und schnappten nach Luft. Züs erbarmte sich ihrer und war so gerührt, daß sie selbst weinte. »Hier sind noch drei dürre Pflaumen«, sagte sie, »nehmt jeder eine in den Mund und behaltet sie darin, das wird euch erquicken! So ziehet denn dahin und kehret die Torheit der Schlechten um in Weisheit der Gerechten! Was sie zum Mutwillen ausgesonnen, das verwandelt in ein erbauliches Werk der Prüfung und der Selbstbeherrschung, in eine sinnreiche Schlußhandlung eines langjährigen Wohlverhaltens und Wettlaufes in der Tugend!« Jedem steckte sie die Pflaume in den Mund, und er sog daran. Jobst drückte die Hand auf seinen Magen und rief »Wenn es denn sein muß, so sei es ins Himmels Namen!« und plötzlich fing er, indem er den Stock erhob, mit stark gebogenen Knien mächtig an auszusreiten und zog sein Felleisen an sich. Kaum sah dies Fridolin, so folgte er ihm nach mit langen Schritten, und ohne sich, ferner umzusehen, eilten sie schon ziemlich hastig die Straße hinab. Der Schwabe war der letzte, der sich aufmachte, und ging mit listig vergnügtem Gesicht und scheinbar ganz gemächlich neben Züs her, wie wenn er seiner Sache sicher und edelmütig seinen Gefährten einen Vorsprung gönnen wollte. Züs belobte seine freundliche Gelassenheit und hing sich vertraulich an seinen Arm. »*Ach* es ist doch schön«, sagte sie mit einem Seufzer, »eine feste Stütze zu haben im Leben! Selbst wenn man hinlänglich begabt ist mit Klugheit und Einsicht und einen tugendhaften Weg wandelt, so geht es sich auf diesem Wege doch viel gemütlicher am vertrauten Freundesarme!« – »Der Tausend, ei ja wohl, das wollte ich wirklich meinen!« erwidert Dietrich und stieß ihr den Ellbogen tüchtig in die Seite, indem er zugleich nach seinen Nebenbuhlern spähte, ob der Vorsprung, auch nicht zu groß würde, »sehen Sie wohl, werteste Jungfer Kommt es Ihnen allendlich? Merken Sie, wo Barthel den Most holt?« – »O Dietrich, lieber Dietrich«, sagte sie mit einem noch viel stärkern Seufzer, »ich fühle mich oft recht einsam!« – »Hopsele, so muß es kommen!« rief er, und sein Herz hüpfte wie ein Häschen im Weißkohl. »O Dietrich!« rief sie und drückte sich fester an ihn; es ward ihm schwül, und sein Herz wollte zerspringen vor pfiffigem Vergnügen; aber zugleich entdeckte er, daß seine Vorläufer nicht mehr sichtbar, sondern um eine Ecke herum verschwunden waren. Sogleich wollte er sich losreißen von Züsis Arm und jenen nachspringen; aber sie hielt ihn so fest, daß es ihm nicht gelang, und klammerte sich an, wie wenn sie schwach würde. »Dietrich!« flüsterte sie, die Augen verdrehend, »lassen Sie mich jetzt nicht allein, ich vertraue auf Sie, stützen Sie mich!« – »Den Teufel noch einmal, lassen Sie mich los, Jungfer!« rief er ängstlich, »oder ich komm zu spät und dann ade, Zipfelmütze!« – »Nein, nein! Sie dürfen mich nicht verlassen, ich fühle, mir wird übel!« jammerte sie. »Übel oder nicht übel!« schrie er und riß sich gewaltsam los; er sprang auf eine Erhöhung und sah sich um und sah die Läufer schon, im vollen Rennen weit den Berg hinunter. Nun setzte er zum Sprung an, schaute sich aber im selben Augenblick noch einmal nach Züs um. Da sah er sie, wie sie am Eingange eines engen

239

schattigen Waldpfades saß und lieblich lockend ihm mit den Händen winkte. Diesem Anblicke konnte er nicht widerstehen, sondern eilte, statt den Berg hinunter, wieder zu ihr hin. Als sie ihn kommen sah, stand sie auf und ging tiefer in das Hol hinein, sich nach ihm umsehend; denn sie dachte ihn auf all Weise vom Laufen abzuhalten und so lange zu vexieren, bis er zu spät käme und nicht in Seldwyl bleiben könne.

240 Allein der erfindungsreiche Schwabe änderte zu selber Zeit seine Gedanken und nahm sich vor, sein Heil hier oben zu erkämpfen, und so geschah es, daß es ganz anders kam, als die listige Person es hoffte. Sobald er sie erreicht und an einem verborgenen Plätzchen mit ihr allein war, fiel er ihr zu Füßen und bestürmte sie mit den feurigsten Liebeserklärungen, welche ein Kammacher je gemacht hat. Erst suchte sie ihm Ruhe zu gebieten und, ohne ihn fortzuscheuchen, auf gute Manier hinzuhalten, indem sie alle ihre Weisheiten und Anmutungen spielen ließ. Als er ihr aber Himmel und Hölle vorstellte, wozu ihm sein aufgeregter und gespannter Unternehmungsgeist herrliche Zauberworte lieh, als er sie mit Zärtlichkeiten jeder Art überhäufte und bald ihrer Hände, bald ihrer Füße sich zu bemächtigen suchte und ihren Leib und ihren Geist, alles was an ihr war, lobte und rühmte, daß der Himmel hätte grün werden mögen, als dazu die Witterung und der Wald so still und lieblich waren, verlor Züs endlich den Kompaß, als ein Wesen, dessen Gedanken am Ende doch so kurz sind als seine Sinne; ihr Herz krabbelte so ängstlich und wehrlos wie ein Käfer, der auf dem Rücken liegt, und Dietrich besiegte es in jeder Weise. Sie hatte ihn in dies Dickicht verlockt, um ihn zu verraten, und war im Handumdrehen von dem Schwäbchen erobert; dies geschah nicht, weil sie etwa eine besonders verliebte Person war, sondern weil sie als eine kurze Natur trotz aller eingebildeten Weisheit doch nicht über ihre eigene Nase wegsah. Sie blieben wohl eine Stunde in dieser kurzweiligen Einsamkeit, umarmten sich immer aufs neue und gaben sich tausend Küßchen. Sie schwuren sich ewige Treue und in aller Aufrichtigkeit und wurden einig, sich zu heiraten auf alle Fälle.

Unterdessen hatte sich in der Stadt die Kunde von dem seltsamen

Unternehmen der drei Gesellen verbreitet und der Meister selbst zu seiner Belustigung die Sache bekanntgemacht; deshalb freuten sich die Seldwyler auf das unverhoffte Schauspiel und waren begierig, die gerechten und ehrbaren Kammmacher zu ihrem Spaße laufen und ankommen zu sehen. Eine große Menschenmenge zog vor das Tor und lagerte sich zu beiden Seiten der Straße, wie wenn man einen Schnelläufer erwartet. Die Knaben kletterten auf die Bäume, die Alten und Rückgesetzten saßen im Grase und rauchten ihr Pfeifen, zufrieden, daß sich ihnen ein so wohlfeiles Vergnügen aufgetan. Selbst die Herren waren ausgerückt, um den Hauptspaß mit anzusehen, saßen fröhlich diskurrierend in den Gärten und Lauben der Wirtshäuser und bereiteten eine Menge Wetten vor. In den Straßen, durch welche die Läufer kommen mußten, waren alle Fenster geöffnet, die Frauen hatten in den Visitenstuben rote und weiße Kissen ausgelegt, die Arme darauf zu legen, und zahlreichen Damenbesuch empfangen, so daß fröhliche Kaffeegesellschaften aus dem Stegreif entstanden und die Mägde genug zu laufen hatten, um Kuchen und Zwieback zu holen. Vor dem Tore aber sahen jetzt die Buben auf den höchsten Bäumen eine kleine Staubwolke sich nähern und begannen zu rufen »Sie kommen, sie kommen!« Und nicht lange dauerte es, so kamen Fridolin und Jobst wirklich wie ein Sturmwind herangesaust, mitten auf der Straße, eine dicke Wolke Staubes aufrührend. Mit der einen Hand zogen sie die Felleisen, welche wie toll über die Steine flogen, mit der anderen hielten sie die Hüte fest, welche ihnen im Nacken saßen, und ihre langen Röcke flogen und wehten um die Wette. Beide waren von Schweiß und Staub bedeckt, sie sperrten den Mund auf und lechzten nach Atem, sahen und hörten nichts, was um sie her vorging, und dicke Tränen rollten den armen Männern über die Gesichter, welche sie nicht abzuwischen Zeit hatten. Sie liefen sich dicht auf den Fersen, doch war der Bayer voraus um eine Spanne. Ein entsetzliches Geschrei und Gelächter erhob sich und dröhnte, so weit das Ohr reichte. Alles raffte sich auf und drängte sich dicht an den Weg, von allen Seiten rief es »So recht, so recht! Lauft, wehr dich, Sachs! halt dich brav, Bayer! Einer ist schon abgefallen, es sind nur noch

241

zwei!« Die Herren in den Gärten standen auf den Tischen und 242 wollten sich ausschütten vor Lachen. Ihr Gelächter dröhnte aber donnernd und fest über den haltlosen Lärm der Menge weg, die auf der Straße lagerte, und gab das Signal zu einem unerhörten Freudentage. Die Buben und das Gesindel strömten hinter den zwei armen Gesellen zusammen, und ein wilder Haufen, eine furchtbare Wolke erregend, wälzte sich mit ihnen dem Tore zu; selbst Weiber und junge Gassenmädchen liefen mit und mischten ihre hellen quiekenden Stimmen in das Geschrei der Burschen. Schon waren sie dem Tore nah, dessen Türme von Neugierigen besetzt waren, die ihre Mützen schwenkten; die zwei rannten wie scheu gewordene Pferde, das Herz voll Qual und Angst; da kniete ein Gassenjunge wie ein Kobold auf Jobstens fahrendes Felleisen und ließ sich unter dem Beifallsgeschrei der Menge mitfahren. Jobst wandte sich und flehte ihn an loszulassen, auch schlug er mit dem Stocke nach ihm; aber der Junge duckte sich und grinste ihn an. Darüber gewann Fridolin einen größern Vorsprung, und wie Jobst es merkte, warf er ihm den Stock zwischen die Füße, daß er hinstürzte. Wie aber Jobst über ihn wegspringen wollte, erwischte ihn der Bayer am Rockschoß und zog sich daran in die Höhe; Jobst schlug ihm auf die Hände und schrie »Laß los, laß los!« Fridolin ließ nicht los, Jobst packte dafür seinen Rockschoß, und nun hielten sie sich gegenseitig fest und drehten sich langsam zum Tore hinein, nur zuweilen einen Sprung versuchend, um einer dem andern zu entrinnen. Sie weinten, schluchzten und heulten wie Kinder und schrieen in unsäglicher Beklemmung: »O Gott! laß los! du lieber Heiland, laß los, lobst! laß los, Fridolin! laß los, du Satan!« Dazwischen schlugen sie sich fleißig auf die Hände, kamen aber immer um ein weniges vorwärts. Hut und Stock hatten sie verloren, zwei Buben trugen dieselben, die Hüte auf die Stöcke gesteckt, voran, und hinter ihnen her wälzte sich der tobende Haufen; alle Fenster waren von der Damenwelt besetzt, welche ihr silbernes Gelächter in die unten tosende Brandung warf, und seit langer Zeit war man nicht mehr so 243 fröhlich gestimmt gewesen in dieser Stadt. Das rauschende Vergnügen schmeckte den Bewohnern so gut, daß kein Mensch den zwei

Ringenden ihr Ziel zeigte, des Meisters Haus, an welchem sie endlich angelangt. Sie selber sahen es nicht, sie sahen überhaupt nichts, und so wälzte sich der tolle Zug durch das ganze Städten und zum andern Tore wieder hinaus. Der Meister hatte lachend unter dem Fenster gelegen, und nachdem er noch ein Stündchen auf den endlichen Sieger gewartet, wollte er eben weggehen, um die Früchte seines Schwankes zu genießen, als Dietrich und Züs still und unversehens bei ihm eintraten.

Diese hatten nämlich unterdessen ihre Gedanken zusammengetan und beraten, daß der Kammachermeister wohl geneigt sein dürfte, da er doch nicht lang mehr machen würde, sein Geschäft gegen eine bare Summe zu verkaufen. Züs wollte ihren Gültbrief dazu hergeben und der Schwabe sein Geldchen auch dazutun, und dann wären sie die Herren der Sachlage und könnten die andern zwei auslachen. Sie trugen ihre Vereinigung dem überraschten Meister vor; diesem leuchtete es sogleich ein, hinter dem Rücken seiner Gläubiger, ehe es zum Bruch kam, noch schnell den Handel abzuschließen und unverhofft des baren Kaufpreises habhaft zu werden. Rasch wurde alles festgestellt, und ehe die Sonne unterging, war Jungfer Bünzlin die rechtmäßige Besitzerin des Kammachergeschäfts und ihr Bräutigam der Mieter des Hauses, in welchem dasselbe lag, und so war Züs, ohne es am Morgen geahnt zu haben, endlich erobert und gebunden durch die Handlichkeit des Schwäbchens.

Halb tot vor Scham, Mattigkeit und Ärger lagen Jobst und Fridolin in der Herberge, wohin man sie geführt hatte, nachdem sie auf dem freien Felde endlich umgefallen waren, ganz ineinander verbissen. Die ganze Stadt, da sie einmal aufgeregt war, hatte die Ursache schon vergessen und feierte eine lustige Nacht. In vielen Häusern wurde getanzt, und in den Schenken wurde gezecht und gesungen wie an den größten Seldwylertagen; denn die Seldwyler brauchten nicht viel Zeug, um mit Meisterhand eine Lustbarkeit daraus zu formen. Als die beiden armen Teufel sahen, wie ihre Tapferkeit, mit welcher sie gedacht hatten, die Torheit der Welt zu benutzen, nur dazu gedient hatte, dieselbe triumphieren zu lassen und sich selbst zum allgemeinen Gespött zu machen, wollte ihnen das Herz

244

brechen; denn sie hatten nicht nur den weisen Plan mancher Jahre verfehlt und vernichtet, sondern auch den Ruhm besonnener und rechtlich ruhiger Leute eingebüßt.

Jobst, der der Älteste war und sieben Jahre hiergewesen, war ganz verloren und konnte sich nicht zurechtfinden. Ganz schwermütig zog er vor Tag wieder aus der Stadt und hing sich an der Stelle, wo sie alle gestern gesessen, an einen Baum. Als der Bayer eine Stunde später da vorüberkam und ihn erblickte, faßte ihn ein solches Entsetzen, daß er wie wahnsinnig davonrannte, sein ganzes Wesen veränderte und, wie man nachher hörte, ein liederlicher Mensch und alter Handwerksbursch wurde, der keines Menschen Freund war.

Dietrich der Schwabe allein blieb ein Gerechter und hielt sich oben in dem Städtchen; aber er hatte nicht viel Freude davon; denn Züs ließ ihm gar nicht den Ruhm, regierte und unterdrückte ihn 245 und betrachtete sich selbst als die alleinige Quelle alles Guten.

Biographie

1819 *19. Juli:* Gottfried Keller wird in kleinbürgerlichen Verhältnissen als Sohn des Drechslermeisters Hans-Rodolf Keller und der Arzttochter Elisabeth, geb. Scheuchzer, in Zürich geboren.

1824 Tod des Vaters.

1825 Besuch der Armenschule in Zürich (bis 1831).

1826 Die Mutter heiratet den Gesellen Hans Heinrich Wild.

1831 Eintritt in das Landesknabeninstitut in Zürich (bis 1833).

1833 Keller besucht die kantonale Industrieschule in Zürich.

1834 *9. Juli:* Als Rädelsführer eines Schülerstreiches wird Keller von der Schule verwiesen.
Scheidung der Mutter.
September: Beginn einer Lehre als Lithograph in Zürich (wahrscheinlich bis Sommer 1836).
Erste Skizzenbücher mit Landschaftszeichnungen.

1836 Briefwechsel mit dem Künstlerfreund Johann Müller und gemeinsame Naturstudien.

1837 *Sommer:* Begegnung mit dem Landschaftsmaler Rudolf Meyer.
November: Beginn des Zeichenunterrichts bei Meyer (bis März 1838).

1838 *14. Mai:* Tod seiner Jugendliebe, der Cousine Henriette Keller.

1840 *26. April:* Reise nach München zur künstlerischen Ausbildung.
Aus finanziellen Gründen kann Keller nicht an der Akademie studieren und nimmt vorübergehend Unterricht bei dem Landschaftsmaler Scheuchzer, einem entfernten Verwandten.
Mitte August: Schwere Erkrankung an Typhus.

1842 *November:* Rückkehr nach Zürich, wo Keller bei der Mutter lebt.

1843 *Frühjahr:* Wiederaufnahme des Naturstudiums.
Juli: Erste Gedichte entstehen.

1844 Freundschaft mit dem Dichter Ferdinand Freiligrath.
Bekanntschaft mit dem Verleger und Schriftsteller August Adolf Ludwig Follen.
8. Dezember: Teilnahme am ersten Freischarenzug dogmatischer Protestanten gegen Jesuiten in Luzern.

1845 Als Kellers erste Publikation erscheinen die »Lieder eines Autodidakten«.
31. März: Teilnahme am zweiten Freischarenzug.

1846 *Frühjahr:* Der Band »Gedichte« erscheint.
Juni-Juli: Reise nach Graubünden und Luzern.

1847 *März-Oktober:* Aufenthalt in Hottingen bei dem Schriftsteller Wilhelm Schulz.
Sommer: Unglückliche Liebe zu Luise Rieter.
Volontariat in der Staatskanzlei des Kantons Zürich unter dem späteren Förderer Alfred Escher.

1848 Stipendium der Züricher Regierung (bis 1852).
September: Reise nach Heidelberg. Studium an der Universität, u.a. Vorlesungen bei Ludwig Feuerbach.
Freundschaft mit dem Literaturhistoriker Hermann Hettner.

1849 Persönliche Bekanntschaft mit Feuerbach und Verkehr in dessen Haus.
Arbeit am »Grünen Heinrich«.
Unglückliche Liebe zu Johanna Kapp.
Kontakte zu seinem späteren Verleger Eduard Vieweg.
Wiederaufnahme der künstlerischen Tätigkeit.

1850 *April:* Keller reist nach Berlin (bis November 1855).
Verkehr in den literarischen Salons von Fanny Lewald und Karl August Varnhagen von Ense.

1851 »Neuere Gedichte«.
Winter: Schwere Krankheit.

1853 Zusammentreffen mit dem Verleger Julius Levy (genannt Rodenberg).
Dezember: Die ersten drei Bände des »Grünen Heinrich«

erscheinen.

1854 *Frühjahr:* Keller lehnt die angebotene Professur für Literaturgeschichte am Polytechnikum ab.

1855 *Frühjahr:* Fertigstellung der ersten Fassung des »Grünen Heinrich«.
Mai: Der »Grüne Heinrich« erscheint.
Unglückliche Liebe zu Betty Tendering.
Mai-August: Keller arbeitet an der Niederschrift von fünf Seldwyler Erzählungen.
November: Rückreise nach Zürich mit Zwischenaufenthalt in Dresden.

1856 In Zürich wohnt Keller wieder bei der Mutter.
Freundschaftlicher Umgang mit Gottfried Semper, Friedrich Theodor Vischer, Jacob Burckhardt, Richard Wagner und Mathilde Wesendonck.
Der erste Teil der Sammlung »Die Leute von Seldwyla« erscheint.
»Romeo und Julia auf dem Dorfe« (Novelle).

1857 *Juli:* Beginn der Freundschaft mit Paul Heyse.
Dezember: Keller lehnt die Stelle des Sekretärs des Kölnischen Kunstvereins ab.

1858 *Frühjahr:* Keller schreibt die Erzählung »Das Fähnlein der sieben Aufrechten« (im Berliner »Volks-Kalender für 1861« veröffentlicht).

1861 Keller wird zum Ersten Staatsschreiber des Kantons Zürich gewählt.
Dezember: Umzug mit der Mutter und der Schwester in die Amtswohnung in der Staatskanzlei.

1864 *5. Februar:* Tod der Mutter.

1865 In der »Deutschen Reichs-Zeitung« erscheint die Erzählung »Die mißbrauchten Liebesbriefe«.
Bekanntschaft mit der Pianistin Louise Scheidegger von Langnau.

1866 *Mai:* Verlobung mit Louise Scheidegger.
12. Juli: Freitod Louise Scheideggers.

1869 Ehrendoktor der Universität Zürich.
Freundschaft mit Adolf Exner.

1872 Die zwischen 1857 bis 1871 entstandenen »Sieben Legenden« erscheinen.
Sommer: Erste Begegnung mit Adolf Exners jüngerer Schwester Marie.
September: Aufenthalt in München. Bekanntschaft mit Jakob Baechtold, dem späteren Biographen Kellers.

1873 *September:* Auf Einladung Adolf und Marie Exners Aufenthalt am Mondsee, auf der Rückreise Abstecher nach München.
Dezember: Die ersten drei Bände der »Leute von Seldwyla« erscheinen in zweiter, vermehrter Auflage (Band 4 folgt 1874).

1874 *Juli:* Reise nach Wien und Reith in Tirol auf Einladung der Geschwister Exner, Rückreise über München.

1876 Keller legt das Amt des Ersten Staatsschreibers nieder und lebt bis zu seinem Tod als freier Schriftsteller in Zürich.
Mai: Beginn des Briefwechsels mit Wilhelm Petersen.
Bekanntschaft mit Adof Frey.
Oktober: Aufenthalt in München.
Oktober: Beginn des Briefwechsels mit Conrad Ferdinand Meyer.
November: Die »Züricher Novellen« erscheinen in der von Julius Rodenberg herausgegebenen »Deutschen Rundschau« (bis April 1877).

1877 *März:* Beginn des Briefwechsels mit Theodor Storm.
Dezember: Die Buchausgabe der gesammelten »Züricher Novellen« (2 Bände, vordatiert auf 1878) erscheint.

1878 *März:* Reise nach Bern.
Ehrenbürger der Stadt Zürich.

1879 *November:* Die ersten drei Bände des »Grünen Heinrich« erscheinen in neuer Fassung (Band 4 folgt 1880).

1881 *Januar-Mai:* Der Novellenzyklus »Das Sinngedicht« erscheint zunächst in der »Neuen Rundschau«, die Buchausgabe folgt im November.

1883 *November:* Die »Gesammelten Gedichte« werden veröffentlicht.

1884 *Oktober:* Besuch Friedrich Nietzsches.

1885 *Januar:* Bruch der Freundschaft mit Jakob Baechtold.
März: Vereinbarung mit dem Verleger Wilhelm Hertz in Berlin über die Herausgabe des Gesamtwerks.
Freundschaft mit Arnold Böcklin.

1886 Kellers Roman »Martin Salander« wird zuerst in der »Deutschen Rundschau« gedruckt und erscheint im November als Buchausgabe.
Oktober: Aufenthalt zur Kur in Baden.

1888 6. *Oktober:* Tod der Schwester Regula.

1889 »Gesammelte Werke« (10 Bände).
Juli-August: Aufenthalt in Seelisberg.
September-November: Mit Böcklin Kuraufenthalt in Baden.

1890 *15. Juli:* Nach sechsmonatiger schwerer Krankheit Tod Kellers in Zürich.

Karl-Maria Guth (Hg.)

Erzählungen der Frühromantik

HOFENBERG

Erzählungen der Frühromantik

1799 schreibt Novalis seinen Heinrich von Ofterdingen und schafft mit der blauen Blume, nach der der Jüngling sich sehnt, das Symbol einer der wirkungsmächtigsten Epochen unseres Kulturkreises. Ricarda Huch wird dazu viel später bemerken: »Die blaue Blume ist aber das, was jeder sucht, ohne es selbst zu wissen, nenne man es nun Gott, Ewigkeit oder Liebe.«

Tieck Peter Lebrecht **Günderrode** Geschichte eines Braminen **Novalis** Heinrich von Ofterdingen **Schlegel** Lucinde **Jean Paul** Des Luftschiffers Giannozzo Seebuch **Novalis** Die Lehrlinge zu Sais

ISBN 978-3-8430-1878-4, 416 Seiten, 29,80 €

Karl-Maria Guth (Hg.)

Erzählungen der Hochromantik

HOFENBERG

Erzählungen der Hochromantik

Zwischen 1804 und 1815 ist Heidelberg das intellektuelle Zentrum einer Bewegung, die sich von dort aus in der Welt verbreitet. Individuelles Erleben von Idylle und Harmonie, die Innerlichkeit der Seele sind die zentralen Themen der Hochromantik als Gegenbewegung zur von der Antike inspirierten Klassik und der vernunftgetriebenen Aufklärung.

Chamisso Adelberts Fabel **Jean Paul** Des Feldpredigers Schmelzle Reise nach Flätz **Brentano** Aus der Chronika eines fahrenden Schülers **Motte Fouqué** Undine **Arnim** Isabella von Ägypten **Chamisso** Peter Schlemihls wundersame Geschichte **Hoffmann** Der Sandmann **Hoffmann** Der goldne Topf

ISBN 978-3-8430-1879-1, 408 Seiten, 29,80 €

Karl-Maria Guth (Hg.)

Erzählungen der Spätromantik

HOFENBERG

Erzählungen der Spätromantik

Im nach dem Wiener Kongress neugeordneten Europa entsteht seit 1815 große Literatur der Sehnsucht und der Melancholie. Die Schattenseiten der menschlichen Seele, Leidenschaft und die Hinwendung zum Religiösen sind die Themen der Spätromantik.

Brentano Die drei Nüsse **Brentano** Geschichte vom braven Kasperl und dem schönen Annerl **Hoffmann** Das steinerne Herz **Eichendorff** Das Marmorbild **Arnim** Die Majoratsherren **Hoffmann** Das Fräulein von Scuderi **Tieck** Die Gemälde **Hauff** Phantasien im Bremer Ratskeller **Hauff** Jud Süss **Eichendorff** Viel Lärmen um Nichts **Eichendorff** Die Glücksritter

ISBN 978-3-8430-1880-7, 440 Seiten, 29,80 €

Erzählungen aus dem Biedermeier

Biedermeier - das klingt in heutigen Ohren nach langweiligem Spießertum, nach geschmacklosen rosa Teetässchen in Wohnzimmern, die aussehen wie Puppenstuben und in denen es irgendwie nach »Omma« riecht.

Zu Recht. Aber nicht nur.

Biedermeier ist auch die Zeit einer zarten Literatur der Flucht ins Idyll, des Rückzuges ins private Glück und der Tugenden. Die Menschen im Europa nach Napoleon hatten die Nase voll von großen neuen Ideen, das aufstrebende Bürgertum forderte und entwickelte eine eigene Kunst und Kultur für sich, die unabhängig von feudaler Großmannssucht bestehen sollte.

Georg Büchner Lenz **Karl Gutzkow** Wally, die Zweiflerin **Annette von Droste-Hülshoff** Die Judenbuche **Friedrich Hebbel** Matteo **Jeremias Gotthelf** Elsi, die seltsame Magd **Georg Weerth** Fragment eines Romans **Franz Grillparzer** Der arme Spielmann **Eduard Mörike** Mozart auf der Reise nach Prag **Berthold Auerbach** Der Viereckig oder die amerikanische Kiste

ISBN 978-3-8430-1884-5, 444 Seiten, 29,80 €

Erzählungen aus dem Biedermeier II

Annette von Droste-Hülshoff Ledwina **Franz Grillparzer** Das Kloster bei Sendomir **Friedrich Hebbel** Schnock **Eduard Mörike** Der Schatz **Georg Weerth** Leben und Taten des berühmten Ritters Schnapphahnski **Jeremias Gotthelf** Das Erdbeerimareili **Berthold Auerbach** Lucifer

ISBN 978-3-8430-1885-2, 440 Seiten, 29,80 €

Erzählungen aus dem Biedermeier III

Eduard Mörike Lucie Gelmeroth **Annette von Droste-Hülshoff** Westfälische Schilderungen **Annette von Droste-Hülshoff** Bei uns zulande auf dem Lande **Berthold Auerbach** Brosi und Moni **Jeremias Gotthelf** Die schwarze Spinne **Friedrich Hebbel** Anna **Friedrich Hebbel** Die Kuh **Jeremias Gotthelf** Barthli der Korber **Berthold Auerbach** Barfüßele

ISBN 978-3-8430-1886-9, 452 Seiten, 29,80 €

Lightning Source UK Ltd.
Milton Keynes UK
UKHW020656230519
343166UK00008B/147/P